교사용 지도서

2

발간사

최근 전 세계인이 접하는 한류 콘텐츠의 규모가 늘어나면서 한류 문화가 확산되고 있고, 그 결과로 한국어를 배우고자 하는 외국인 학습자의 기세가 매우 놀랍습니다. 세계 곳곳이 코로나19로 침체기를 겪던 2021년에도 한국어능력시험 응시자는 30만 명을 훌쩍 넘었으며, 문화체육관광부의 세종학당은 2007년 13곳에서 2022년에는 84개국 244개소로 증가하였습니다. 이러한 한류의 지속적인 확산을 뒷받침하기 위해서는 한국어교육의 탄탄한 지원이 필요합니다.

한류 콘텐츠와 함께 성장하는 한국어교육의 토대를 다지기 위해, 문화체육관광부와 국립국어원은 2011년 처음 발간된 《세종한국어》를 새로 다듬기로 하였습니다. 2019년부터 기초 연구를 시작한 교재 개정 작업은 3년의 시간을 들여, 2022년 드디어 새로운 《세종한국어》를 펴내게 되었고, 이를 세종학당재단과 함께 알리게 되었습니다.

새롭게 개정된 《세종한국어》는 첫째, 세종학당 곳곳에서 한국어를 배우고자 하는 열의로 가득 찬 외국인 학습자 중심의 교재를 지향하였습니다. 둘째, 현지 세종학당의 학습 환경에 따라 유연하게 활용할 수 있는 맞춤형 교재로 정비되었습니다. 셋째, 한류 콘텐츠에 대한 외국인들의 관심을 내용에 반영함으로써, 한국어 공부에 대한 학습자의 부담을 낮췄습니다. 마지막으로 세종학당을 대표하는 표준 교재로서 구심점 역할을 담당하고, 이후의 한국어 학습을 위한 연계성도 잘 갖추었습니다.

세종학당은 한국어와 한국 문화로 한국과 세계를 연결하는 대한민국 대표의 국외 한국어교육 기관입니다. 국립국어원과 문화체육관광부는 앞으로도 세종학당재단과 협력하여 전 세계에서 한국어를 사랑하는 이들이 꿈을 이룰 수 있도록 지속적인 노력과 지원을 아끼지 않겠습니다.

끝으로 교재 개발을 위해 최선의 노력을 기울여 주신 연구·집필진과 출판사 관계자분들께 진심으로 감사의 말씀을 드립니다. 《세종한국어》의 새로운 출발과 함께 문화체육관광부와 국립국어원, 세종학당재단이 세계로 더 나아갈 수 있도록 여러분의 따뜻한 관심 부탁드립니다.

2022년 8월

국립국어원장 장소원

머리말

세종학당은 한국과 전 세계를 연결하는 한국어·한국 문화 보급 기관입니다. 이번에 개발한 교재는 상호 문화주의에 기반하여 한국어 학습에 대한 학습자의 흥미를 증진함으로써 한국어 의사소통 능력을 향상시키는 것을 목표로 하였습니다. 이를 위해 최근 한국의 상황을 적극적으로 반영하였고 최신 교수법을 구현할 수 있는 새로운 구성과 디자인을 적용하였습니다. 이를 통해 국외 한국어교육의 방향성을 새롭게 제시하고자 하였습니다. 개정 《세종한국어》의 구체적 특징은 다음과 같습니다.

첫째, 세종학당의 표준 교육과정인 가형, 나형, 다형 전 과정에 탄력적으로 활용할 수 있도록 '기본 교재'와 '더하기 활동 교재'로 구분하였습니다. '기본 교재'에는 해당 등급에 필요한 핵심적인 내용을 담았으며, '더하기 활동 교재'에는 심화·확장이 필요한 언어 지식과 의사소통 활동을 담았습니다. 이를 통해 다양한 학습자 특성에 맞게 교재를 선택하여 사용할 수 있도록 하였습니다.

둘째, 효과적 교수·학습을 위해 단계별로 단원 구성을 차별화하였으며 학습 내용 또한 언어 발달 단계에 맞는 교수 학습 내용과 절차를 적용하였습니다. 특히 다양한 삽화와 시각적 자료를 적극적으로 제시하여 한국어 학습의 흥미를 극대화할 수 있도록 노력하였습니다.

셋째, 교재 전반에 생생한 한국 문화 내용을 배치하여 학습자들이 상호 문화적 관점에서 한국 문화를 이해하고, 궁극적으로는 자국의 문화와 한국 문화에 대한 바른 태도를 형성할 수 있도록 하였습니다.

넷째, 교재와 함께 '익힘책', '교사용 지도서', '어휘·표현과 문법', 수업용 PPT와 같은 보조 자료들을 개발하여 교사·학습자의 요구에 맞게 교재를 활용할 수 있도록 하였습니다.

이 교재를 기획하고 개발하는 모든 과정에 함께해 주신 국립국어원과 현지 학당과의 협조와 지원을 아끼지 않으신 세종학당재단, 그리고 학습자들이 재미있게 한국어를 배울 수 있도록 멋지게 디자인해 주신 공앤박출판사에 감사의 마음을 전하고 싶습니다. 끝으로 3년이라는 긴 시간 동안 오로지 한국어교육에 대한 열정으로 좋은 교재를 만들어 내기 위해 애써 주신 모든 집필진께 말로는 다할 수 없는 깊은 감사의 마음을 전합니다.

2022년 8월

저자 대표 이정희

차례

1부

공통 내용

1. 교재의 구성

이 교재는 [기본 교재]와 [더하기 활동 교재]로 구성되어 있다. [더하기 활동 교재] 구성에서 어휘와 표현, 문법 앞에 '+'의 의미는 [기본 교재]의 확장된 연습이나 활동을 의미한다. 즉, [기본 교재]의 '어휘와 표현'에서 제시한 내용을 바탕으로 더 많은 연습을 통해 자연스럽게 습득이 가능하도록 [더하기 활동 교재]의 '+어휘와 표현'을 구성하였다. [기본 교재]와 [더하기 활동 교재]의 구성은 다음과 같다.

[기본 교재]

도입	어휘와 표현	문법 1	문법 2	활동 1	활동 2

[더하기 활동 교재]

언어 지식		의사소통	
+어휘와 표현	+문법	듣고 말하기	읽고 쓰기

〈[기본 교재]와 [더하기 활동 교재]의 구성〉

[기본 교재]는 세종학당 〈가〉형 교육과정에 적합하다. 〈나〉형의 교육과정을 운영하는 세종학당에서는 학습자의 요구를 반영하여 [기본 교재]에 [더하기 활동 교재]를 추가해 수업을 할 수 있다. 언어 지식 함양에 대해 학습자 요구가 높은 학당에서는 [기본 교재]에 [더하기 활동 교재]의 '+어휘와 표현', '+문법'을 선택 추가할 수 있으며, 의사소통 능력 함양에 대해 학습자 요구가 높은 학당에서는 [기본 교재]에 [더하기 활동 교재]의 '듣고 말하기', '읽고 쓰기'를 선택 추가하여 수업 운영이 가능하다. 〈다〉형의 교육과정을 운영하는 세종학당에서는 [기본 교재]에 [더하기 활동 교재]를 모두 선택하여 수업하는 방식도 가능하다. 〈가〉, 〈나〉, 〈다〉의 교육과정 유형별 차시 구성의 예시는 다음과 같다.

교육과정 유형	권장 수업 시수	활용 교재
〈가〉형	주 3차시(150분)	[기본 교재] 전체
〈나〉형	주 4~5차시(200~250분)	[기본 교재] 전체 + [더하기 활동 교재] 일부
〈다〉형	주 6차시(300분)	[기본 교재] 전체 + [더하기 활동 교재] 전체

〈교육과정 유형별 차시 구성 및 활용 교재〉

〈가〉, 〈나〉, 〈다〉형 교육과정의 운영에 상관없이 모두 [기본 교재]는 필수적으로 사용하되 [더하기 활동 교재]는 학당별로 선택이 가능하므로 학당별 교재 구현을 지향한다. 2단계 교재는 2A, 2B로 나누어지며 각 교재는 12단원으로 구성되어 있다. 교재 1권을 한 학기 또는 두 학기에 사용하는 학당에서는 다음과 같이 교재를 활용해 학기를 운영할 수 있다.

<table>
<tr><td>한 학기 교재
1권 사용</td><td>오리엔테이션</td><td>1~6과</td><td>복습,
문화 활동,
중간 평가 등</td><td>7~12과</td><td>수료 평가</td></tr>
<tr><td rowspan="2">두 학기 교재
1권 사용</td><td>오리엔테이션</td><td>1~3과</td><td>복습,
문화 활동 등</td><td>4~6과</td><td>중간 평가</td></tr>
<tr><td>오리엔테이션</td><td>7~9과</td><td>복습,
문화 활동 등</td><td>10~12과</td><td>수료 평가</td></tr>
</table>

〈학기별 운영 상황에 따른 교재 활용 예시〉

2. 교육과정(시수)에 따른 교재 활용

본 교재는 [기본 교재]와 [더하기 활동 교재]로 구성되어 있으므로 교육과정 유형(시수)에 따라 다양한 활용이 가능하다. 다만 [기본 교재]는 해당 수준에서 다뤄야 할 핵심 내용을 담고 있고 [더하기 활동 교재]는 [기본 교재]를 토대로 더 많은 연습과 활동이 추가된 것이므로 이를 학당별 시수에 적합하게 적용할 것을 권장한다. 〈가〉형의 150분 수업, 〈나〉형의 200분 및 250분 수업, 〈다〉형의 300분 수업을 예로 들어 제시하면 다음과 같다. 아래 표에서 [기본 교재]가 활용되는 부분은 으로, [더하기 활동 교재]가 활용되는 부분은 으로 표시하였다.

〈가〉형 기본 수업 = 150분(3시수)

<table>
<tr><td>항목</td><td>도입</td><td>어휘와 표현</td><td>문법 1</td><td>문법 2</td><td>활동 1</td><td>활동 2</td><td>정리</td></tr>
<tr><td>권장 시간</td><td>15′</td><td>35′</td><td>25′</td><td>25′</td><td>20′</td><td>25′</td><td>5′</td></tr>
<tr><td>주 3회</td><td colspan="2">1교시</td><td colspan="2">2교시</td><td colspan="3">3교시</td></tr>
<tr><td>주 2회</td><td colspan="3">1교시</td><td colspan="4">2교시</td></tr>
<tr><td>주 1회</td><td colspan="3">1교시</td><td colspan="4">차주 1교시</td></tr>
</table>

일주일에 150분 또는 3시간 수업으로 한 학기에 2A나 2B를 배우는 학당에서는 [기본 교재]를 순서대로 모두 가르칠 것을 권장한다. 이때 [더하기 활동 교재] 중 '+어휘와 표현, +문법 1, 2'는 과제로 제시하여 언어 지식에 대한 연습을 하게 할 수 있다. 이를 통해 언어 기능 수업 즉 '활동 1, 2' 수업이 원활하게 진행되는 것을 도울 수 있을 것이다.

〈나〉형 지식 강화 수업 = 200분(4시수)

항목	도입	어휘와 표현	+어휘와 표현	문법 1	+문법 1	문법 2	+문법 2	활동 1	활동 2	정리
권장 시간	10′	25′	15′	25′	25′	25′	25′	20′	25′	5′
주 4회	1교시			2교시		3교시		4교시		
주 3회	1교시				2교시			3교시		
주 2회	1교시					2교시				

일주일에 200분 또는 4시간 수업으로 한 학기에 2A나 2B를 가르치는 학당에서는 [기본 교재]의 '도입'과 어휘와 표현' 학습 후 [더하기 활동 교재]의 '+어휘와 표현'을 확장하여 가르칠 수 있다. 또한 [기본 교재]의 '문법 1, 문법 2'를 가르친 후 [더하기 활동 교재]의 '+문법 1, 2'의 활동 연습을 할 수 있다. [더하기 활동 교재] 중에는 '문법 1, 2'의 통합 연습으로 '+문법 1, 2'를 제시한 활동도 있으므로 가능하면 [기본 교재]의 '문법 1'과 '문법 2'를 배운 후 [더하기 활동 교재]의 '+문법 1, 2'를 선택하기를 권장한다.

〈나〉형 활동 강화 수업 = 200분(4시수)

항목	도입	어휘와 표현	문법 1	문법 2	활동 1	듣고 말하기	활동 2	읽고 쓰기	정리
권장 시간	15′	35′	25′	25′	25′	25′	25′	20′	5′
주 4회	1교시		2교시		3교시		4교시		
주 3회	1교시			2교시			3교시		
주 2회	1교시				2교시				

일주일에 200분 또는 4시간 수업으로 한 학기에 2A나 2B를 배우는 학당에서는 [기본 교재]의 '도입'과 '어휘와 표현', '문법 1, 2', '활동 1'을 가르치고 [더하기 활동 교재]의 '듣고 말하기'를 배울 수 있다. 이어서 [기본 교재]의 '활동 2'를 배운 후 [더하기 활동 교재]의 '읽고 쓰기'를 선택할 수 있다. 이는 활동 1의 확장 개념으로 더하기 활동의 '듣고 말하기', 활동 2의 확장 개념으로 [더하기 활동 교재]의 '읽고 쓰기'가 고안되었기 때문이다. '활동 1, 2'에 덧붙여 [더하기 활동 교재]를 활용할 때에는 '듣고 말하기'나 '읽고 쓰기' 가운데 학당 특성에 맞게 더 필요한 한 가지 기능, 즉 '말하기'나 '쓰기'에 집중하여 해당 수업을 운영할 수도 있다.

〈나〉형 집중 수업 = 250분(5시수)

항목	도입	어휘와 표현	+어휘와 표현	문법 1	+문법 1	문법 2	+문법 2	활동 1	듣고 말하기	활동 2	읽고 쓰기	정리
권장 시간	10′	25′	15′	25′	25′	30′	20′	25′	25′	25′	20′	5′
주 5회	1교시			2교시		3교시		4교시		5교시		
주 4회	1교시				2교시			3교시		4교시		
주 3회	1교시				2교시				3교시			

일주일에 250분 또는 5시간 수업으로 한 학기에 2A나 2B를 배우는 학당에서는 [기본 교재]의 '도입'과 '어휘와 표현'을 배운 후 [더하기 활동 교재]의 '+어휘와 표현'을 가르친다. 이어 [기본 교재]의 '문법 1'을 가르친 후 [더하기 활동 교재]의 '+문법 1', [기본 교재]의 '문법 2'를 배운 후 [더하기 활동 교재]의 '+문법 2'를 가르친다. 4교시에는 [기본 교재]의 '활동 1'을 배운 후 [더하기 활동 교재]의 '듣고 말하기'를 가르친다. 마지막 5교시에는 [기본 교재]의 '활동 2'를 배운 후 [더하기 활동 교재]의 '읽고 쓰기'를 가르칠 것을 권장한다. '활동 1, 2'에 덧붙여 [더하기 활동 교재]를 활용할 때에는 '듣고 말하기'나 '읽고 쓰기' 중에서 학당 특성에 맞게 더 필요한 한 가지 기능, 즉 '말하기'나 '쓰기'에 집중하여 해당 수업을 운영할 수도 있다.

〈다〉형 심화 수업 = 300분(6시수)

<table>
<tr><td>항목</td><td>도입</td><td>어휘와 표현</td><td>+어휘와 표현</td><td>문법 1</td><td>+문법 1</td><td>문법 2</td><td>+문법 2</td><td>활동 1</td><td>듣고 말하기</td><td>읽고 쓰기</td><td>활동 2</td><td>정리</td></tr>
<tr><td>권장 시간</td><td>15′</td><td>35′</td><td>25′</td><td>25′</td><td>25′</td><td>25′</td><td>25′</td><td>25′</td><td>25′</td><td>25′</td><td>45′</td><td>5′</td></tr>
<tr><td>주 6회</td><td colspan="2">1교시</td><td colspan="2">2교시</td><td colspan="2">3교시</td><td colspan="2">4교시</td><td colspan="2">5교시</td><td colspan="2">6교시</td></tr>
<tr><td>주 5회</td><td colspan="3">1교시</td><td colspan="3">2교시</td><td colspan="2">3교시</td><td colspan="2">4교시</td><td colspan="2">5교시</td></tr>
<tr><td>항목</td><td>도입</td><td>어휘와 표현</td><td>+어휘와 표현</td><td>문법 1</td><td>+문법 1</td><td>문법 2</td><td>+문법 2</td><td>활동 1</td><td>듣고 말하기</td><td>활동 2</td><td>읽고 쓰기</td><td>정리</td></tr>
<tr><td>권장 시간</td><td>15′</td><td>35′</td><td>25′</td><td>25′</td><td>25′</td><td>25′</td><td>25′</td><td>25′</td><td>25′</td><td>45′</td><td>25′</td><td>5′</td></tr>
<tr><td>주 4회</td><td colspan="3">1교시</td><td colspan="3">2교시</td><td colspan="3">3교시</td><td colspan="3">4교시</td></tr>
<tr><td>주 3회</td><td colspan="4">1교시</td><td colspan="4">2교시</td><td colspan="4">3교시</td></tr>
</table>

일주일에 300분 또는 6시간 수업으로 한 학기에 2A나 2B를 가르치는 학당에서는 [기본 교재]와 [더하기 활동 교재]를 순서대로 모두 가르칠 것을 권장한다. 다만 50분 단위의 수업을 운영하는 학당에서는 [기본 교재]의 '활동 2'를 마지막 한 차시에 할애해 운영할 수 있으며, 75분 이상 단위의 수업을 운영하는 학당에서는 [기본 교재]의 '활동 2'를 먼저 수업하고 [더하기 활동 교재]의 '읽고 쓰기' 수업을 권장한다. 심화 수업에서는 '활동 2'의 수업 시간을 충분히 확보해 '쓰기 후' 활동까지 해당 수업에서 운영할 수 있다.

3. 교재 활용 및 세부 지침

[기본 교재]와 [더하기 활동 교재]는 다음과 같이 구성되었으므로 이를 참고해 수업에서 활용할 수 있다.

도입

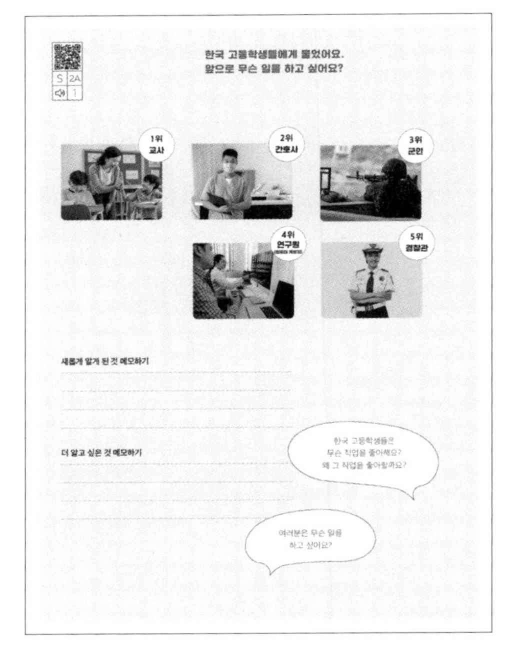

[기본 교재]의 '도입'은 해당 단원의 주제와 관련이 있는 한국의 문화 지식을 제시하고자 하였다. 또한 해당 단원에서 배울 내용에 대한 배경지식을 활성화하여 학습자들이 재미있고 쉽게 주제에 친숙해지도록 하였다. 따라서 도입 부분의 사진/삽화를 통해 생각해 보기, 도입의 질문을 통해 말해 보기, 도입의 지시문을 통해 써 보기 등을 충분히 할 수 있도록 한다.

- '도입'은 총 2쪽으로 이루어져 있다. 첫 번째 페이지는 단원명, 관련 사진/삽화, 학습 목표로 이루어져 있으며 두 번째 페이지는 주제 관련 사진/삽화 자료와 도입 질문으로 구성되어 있다.

- 먼저, 수업이 시작되면 도입의 첫 번째 페이지를 학습자들과 함께 살펴본다. 사진/삽화를 함께 보면서 2~3가지 질문을 통해 해당 시간에 학습할 주제에 학습자들이 관심을 갖고 스키마를 형성할 수 있도록 한다.

- 학습자들에게 해당 시간에 배울 주제와 학습 목표에 대해 간단하게 설명한 후, 두 번째 페이지로 넘어가 사진/삽화를 보면서 교재에 제시된 질문을 한다. 학습자들이 주제에 관련된 개인적인 경험을 생각해 대답해 볼 수 있도록 한다.

어휘와 표현

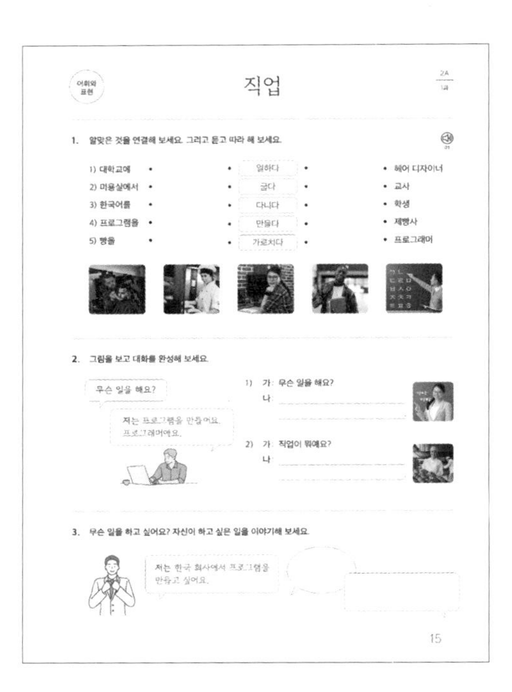
어휘와 표현

직업

2A
1과

1. 알맞은 것을 연결해 보세요. 그리고 듣고 따라 해 보세요.

1) 대학교에	일하다	헤어 디자이너
2) 미용실에서	굽다	교사
3) 한국어를	다니다	학생
4) 프로그램을	만들다	제빵사
5) 빵을	가르치다	프로그래머

2. 그림을 보고 대화를 완성해 보세요.

무슨 일을 해요?

저는 프로그램을 만들어요. 프로그래머예요.

1) 가: 무슨 일을 해요?
나:

2) 가: 직업이 뭐예요?
나:

3. 무슨 일을 하고 싶어요? 자신이 하고 싶은 일을 이야기해 보세요.

저는 한국 회사에서 프로그램을 만들고 싶어요.

15

[기본 교재]의 '어휘와 표현'은 해당 단원의 주제와 관련된 대표적인 어휘를 선정하되 덩어리 표현으로 제시하여 언어 사용에 초점을 두었다. '어휘와 표현'은 제시, 기계적 연습, 유의적 연습으로 구성하였다. 의미를 이해하는 활동에서 표현하는 활동으로 확장하여 학습자들이 배운 어휘와 표현을 맥락에 맞게 사용할 수 있도록 하였다. 단원에 따라서는 어휘군이 2개인 경우에는 1번과 2번에 어휘를 제시하였다.

즉 1번은 삽화나 단순한 활동을 통해 기본적인 의미를 익히도록, 2번은 1번에서 배운 어휘의 연습이 가능하도록, 3번은 1번과 2번에서 배운 것이 '자기 발화'로 나타나 내재화되도록 구성하였다.

+어휘와 표현

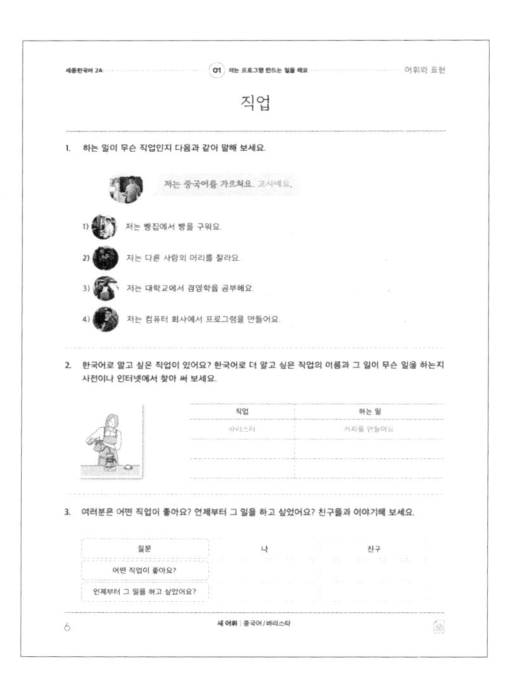
세종한국어 2A　01 저는 프로그램 만드는 일을 해요　어휘와 표현

직업

1. 하는 일이 무슨 직업인지 다음과 같이 말해 보세요.

저는 중국어를 가르쳐요. 교사예요.

1) 저는 빵집에서 빵을 구워요.
2) 저는 다른 사람의 머리를 잘라요.
3) 저는 대학교에서 경영학을 공부해요.
4) 저는 컴퓨터 회사에서 프로그램을 만들어요.

2. 한국어로 알고 싶은 직업이 있어요? 한국어로 더 알고 싶은 직업의 이름과 그 일이 무슨 일을 하는지 사전이나 인터넷에서 찾아 써 보세요.

직업	하는 일
바리스타	커피를 만들어요

3. 여러분은 어떤 직업이 좋아요? 언제부터 그 일을 하고 싶었어요? 친구들과 이야기해 보세요.

질문	나	친구
어떤 직업이 좋아요?		
언제부터 그 일을 하고 싶었어요?		

6　새 어휘 | 중국어/바리스타

[더하기 활동 교재]의 '어휘와 표현'은 [기본 교재]에서 배운 내용을 바탕으로 쉬운 것에서 어려운 것으로, 닫힌 질문에서 열린 질문으로 구성하였다.

1번은 [기본 교재]에서 다루지 않은 몇 개의 어휘가 확장될 수 있도록 하여 더 풍부한 언어 사용에 초점을 두었다.

2번과 3번은 학습자가 알고 싶어 하는 어휘에 대한 학습이나 짝 활동, 모둠 활동으로 구성하여 어휘의 연습이 충분히 이루어지도록 하였다. 또한 게임과 같은 다양한 활동을 통해 배운 어휘와 표현을 익히도록 하였다. 따라서 [더하기 활동 교재]의 '어휘와 표현'은 모든 학습자의 언어 사용이 가능하게 한다는 점에 초점을 둘 것을 권장한다.

1) 어휘 제시: 기본 교재 1번

- 본 수업에서 목표로 하는 '어휘와 표현' 항목을 활용하여 도입 질문을 한다.
- 듣기 파일을 듣고 따라 해 본다. 이때 학습자들의 발음을 잘 듣고 틀린 발음이 있을 경우 간단하게 교정해 준다.
- 단원에 따라 해당 질문에 대해 학습자에게 √ 표시를 하게 하는 단원이 있다. √ 표시를 하는 것이 있는 경우는 먼저 듣기 파일을 듣고 따라 하게 한 후 √ 표시를 하게 하거나, √ 표시를 한 후 듣기 파일을 듣고 표현을 따라 하게 할 수 있다.
- 교재에 제시된 질문을 읽고 해당 질문에 학습자들이 √ 표시를 해 볼 수 있도록 한다. √ 표시가 끝나면 학습자들에게 질문을 하면서 대답을 들어 본다.
- 새 어휘의 의미를 설명한다.
- 새 어휘를 사용할 수 있는 연습 활동을 한다. 그림이나 어휘 카드를 사용해 교사가 학습자들에게 목표 어휘를 활용해 대답할 수 있도록 질문할 수 있으며, 학습자들에게 그림이나 어휘 카드를 나누어 주고 릴레이 연습이나 팀 대항 연습을 하게 할 수 있다.

2) 기계적 연습 또는 의미 확인: 기본 교재 2번, 더하기 활동 교재 1번

- 교재에 제시된 질문을 읽고 〈보기〉를 통해 문제에 대해 설명한다.
- 더하기 활동 교재에서 기본 교재에 제시되지 않은 확장 어휘가 제시된 경우 해당 의미를 설명할 수 있다.
- 학습자들에게 시간을 주고 문제를 풀어 보게 한다.
- 학습자들이 각자 문제를 풀었으면 동료 학습자와 답을 맞춰 보거나 말하기 연습을 하게 한다.
- 학습자들에게 대화를 수행하게 해, 교사와 함께 답을 맞춰 보면서 의미를 확인한다. 이때 가, 나 대화쌍은 교사—학습자, 학습자—학습자 등 다양한 방법으로 질문하고 대답해 볼 수 있다. 교사가 학습자에게 추가 질문을 하거나 학습자들끼리 짝을 지어 묻고 대답하는 방법을 통해 모든 학습자가 말하기 연습을 해 볼 수 있도록 한다.

3) 유의적 연습 또는 간단한 활동: 기본 교재 3번, 더하기 활동 교재 2번

- 교재에 제시된 질문을 읽고 〈보기〉를 통해 문제에 대해 설명한다.
- 학습자들에게 시간을 주고 문제를 풀어 보게 한다.
- 학습자들이 각자 문제를 풀었으면 동료 학습자와 답을 맞춰 보거나 말하기 연습을 하게 한다.
- 학습자들에게 대화를 수행하게 해, 교사와 함께 답을 함께 맞춰 보면서 의미를 확인한다. 이때 가, 나 대화쌍을 교사—학습자, 학습자—학습자 등 다양한 방법으로 질문하고 대답해 볼 수 있다. 교사가 학습자에게 추가 질문을 하거나 학습자들끼리 짝을 지어 묻고 대답하는 방법을 통해 모든 학습자가 말하기 연습을 해 볼 수 있도록 한다.
- 마지막 항목에서 학습자가 자신의 정보를 활용하는 경우는 여러 학습자들이 발표할 수 있도록 하며, 틀린 표현이 있을 경우 간단하게 교정해 준다.

연습을 확인하는 방법

1. 교사가 질문을 하면 학습자들이 대답하는 형식으로 정답을 확인한다.
2. 닫혀 있는 질문의 경우 한 문제당 1명의 학습자의 답을 듣고 정답을 확인한 후 추가 질문을 통해 다른 학습자들도 응답을 해 볼 수 있는 기회를 갖도록 한다.
3. 응답이 열려 있는 경우 한 문제당 2~3명의 학습자의 답을 들어 보도록 하여 모든 학습자가 한 번씩은 모두 응답할 수 있도록 한다.
4. 교사가 질문하는 대신 학습자-학습자가 질문하고 답하는 형식을 통해 답을 확인해 볼 수도 있다.

문법 1, 2

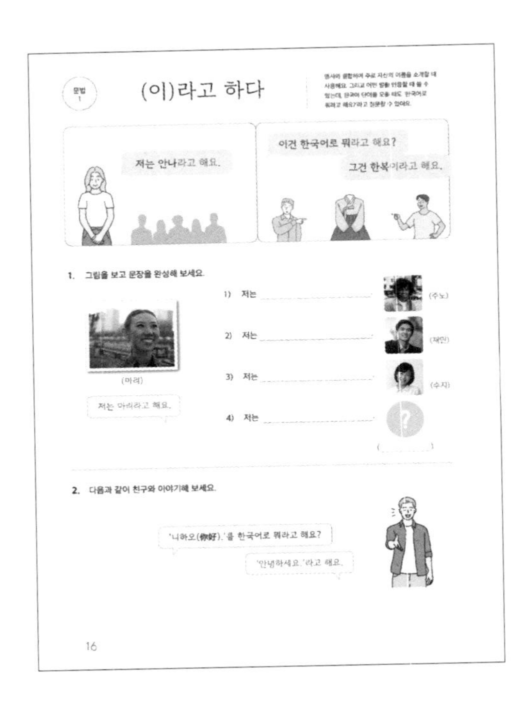

[기본 교재]의 '문법 1, 2'는 해당 단원에서 꼭 배워야 하는 두 개의 필수 항목으로 선정하였다. 해당 문법 항목을 언제 사용해야 하는지에 대한 의미 중심의 설명을 해당 문법 옆에 두었다. 무엇보다 2단계에서는 수업에서 교사가 문법 항목의 설명 즉 도입을 삽화를 활용해 진행할 수 있도록 하였다. 따라서 삽화를 보면서 해당 문법의 의미를 학습자가 유추해 보기를 권장한다.

1번은 단순하고 유도된 연습을 통해 해당 문법을 익히도록 하였다. 2번은 1번에서 익힌 연습의 확장으로, 혼자 쓰고 말하기, 짝 활동, 모둠 활동으로 구성하였다.

해당 문법의 형태적인 연습은 '익힘책'에 두었다. 익힘책은 독학용 교재로 제작되었으나 학습자의 언어 수준과 요구에 따라 교사가 이를 적절히 활용할 수도 있다.

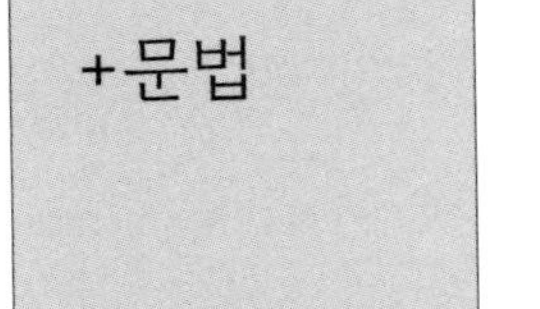

(이)라고 하다 | -는

1. 여러분이 아는 한국어 단어를 행동이나 그림으로 보여 주면서 다음과 같이 말해 보세요.

이건 한국어로 사랑이라고 해요.

이건 한국어로 반지라고 해요.

2. 그림을 보고 사람들이 무엇을 하고 있는지 써 보세요.

[더하기 활동 교재]의 문법은 [기본 교재]에서 배운 '문법 1, 2'에 대한 확장으로 고안되었다. 즉, 더 많은 연습을 하기 위한 것이다. 그러나 단순한 연습의 확장이라기보다는 학습자에게 유의미한 연습이 되도록 함과 동시에 인지적 자극을 통한 연습이 되도록 하였다.

또한 다양한 짝 활동, 모둠 활동이 가능하도록 구성하였다. 특히 게임을 통한 활동은 더 많은 시간을 배분하여 진행할 수 있도록 하였으므로 수업에서 교사가 이를 적절히 활용하도록 권장한다.

1) 목표 문법 및 예문 제시: 기본 교재 상단

- 제시된 삽화와 관련된 질문을 학습자들에게 하며 도입한다.
- 질문하고 대답하는 과정을 통해 자연스럽게 목표 문법을 노출하도록 한다.
- 문법의 형태를 제시하고 의미를 설명한다. 각 문법의 규칙, 제약, 추가적인 의미 등을 설명한다.
- 명사/동사/형용사 활용의 경우 단어 카드를 사용해 연습한다.
- 문장 카드를 사용해 연습한다. 목표 문법에 따라 문장 연결을 할 수 있고, 문장에 대한 대답을 할 수 있다.
- 단어 카드나 문장 카드를 사용해 연습하는 경우, 교사-학습자뿐 아니라 학습자-학습자 간 질문과 대답 활동 등 다양한 연습을 한다.
- 교재에 제시된 문장을 학습자와 함께 읽어 본다.

2) 기계적 연습 또는 문장 완성하기: 기본 교재 1번, 더하기 활동 교재 1번

- 교재에 제시된 지시문을 읽는다.
- 〈보기〉를 학습자들과 함께 읽어 본다.
- 〈보기〉를 통해 연습 유형을 학습자들에게 설명한다.
- 학습자들에게 시간을 주고 문제를 풀어 보게 한다. 교사는 학습자가 문제를 푸는 동안 교실을 돌아다니며 학습자들이 문제를 잘 풀고 있는지 확인한다.
- 학습자들이 각자 문제를 풀었으면 동료 학습자와 답을 맞춰 보거나 말하기 연습을 하게 한다.
- 학습자들에게 대화를 수행하게 해, 교사와 함께 답을 맞춰 보면서 의미를 확인한다. 이때 가, 나 대화쌍은 교사—학습자, 학습자—학습자 등 다양한 방법으로 질문하고 대답해 볼 수 있다. 교사가 학습자에게 추가 질문을 하거나 학습자들끼리 짝을 지어 묻고 대답하는 방법을 통해 모든 학습자가 말하기 연습을 해 볼 수 있도록 한다.

3) 유의적 연습 또는 간단한 활동 및 대화 완성하기: 기본 교재 2번, 더하기 활동 교재 2번

- 교재에 제시된 지시문을 읽는다.
- 〈보기〉를 학습자들과 함께 읽어 본다.
- 〈보기〉를 통해 연습 유형을 학습자들에게 설명한다.
- 학습자들에게 시간을 주고 문제를 풀어 보게 한다. 교사는 학습자가 문제를 푸는 동안 교실을 돌아다니며 학습자들이 문제를 잘 풀고 있는지 확인한다.
- 학습자들이 각자 문제를 풀었으면 동료 학습자와 답을 맞춰 보거나 말하기 연습을 하게 한다.
- 학습자들에게 대화를 수행하게 해, 교사와 함께 답을 맞춰 보면서 의미를 확인한다. 이때 가, 나 대화쌍을 교사—학습자, 학습자—학습자 등 다양한 방법으로 질문하고 대답해 볼 수 있다. 교사가 학습자에게 추가 질문을 하거나 학습자들끼리 짝을 지어 묻고 대답하는 방법을 통해 모든 학습자가 말하기 연습을 해 볼 수 있도록 한다.
- 마지막 항목에서 학습자가 자신의 정보를 활용하는 경우는 여러 학습자들이 발표할 수 있도록 하며, 틀린 표현이 있을 경우 간단하게 교정해 준다.

활동 1

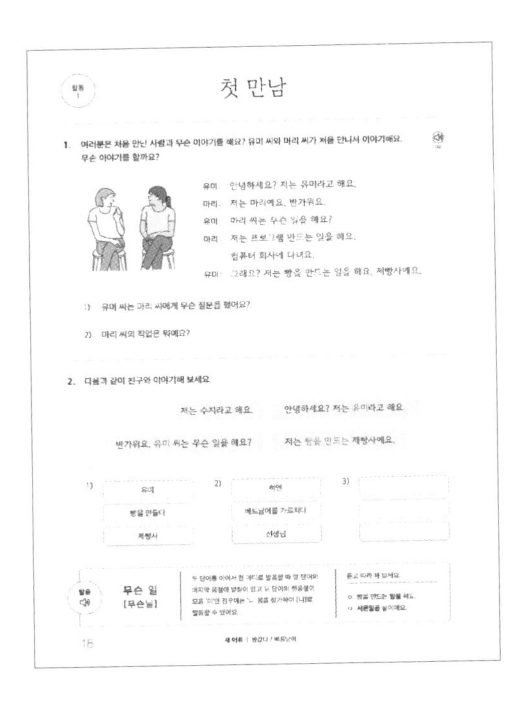

활동 1

첫 만남

1. 여러분은 처음 만난 사람과 무슨 이야기를 해요? 유미 씨와 마리 씨가 처음 만나서 이야기해요. 무슨 이야기를 할까요?

유미: 안녕하세요? 저는 유미라고 해요.
마리: 저는 마리예요. 반가워요.
유미: 마리 씨는 무슨 일을 해요?
마리: 저는 프로그램 만드는 일을 해요. 컴퓨터 회사에 다녀요.
유미: 그래요? 저는 빵을 만드는 일을 해요. 제빵사예요.

1) 유미 씨는 마리 씨에게 무슨 질문을 했어요?
2) 마리 씨의 직업은 뭐예요?

2. 다음과 같이 친구와 이야기해 보세요.

저는 수지라고 해요. / 안녕하세요? 저는 유미라고 해요.
반가워요. 유미 씨는 무슨 일을 해요? / 저는 빵을 만드는 제빵사예요.

1) 유미 / 빵을 만들다 / 제빵사
2) 히엔 / 베트남어를 가르치다 / 선생님
3)

발음 무슨 일 [무슨닐]
두 단어를 이어서 한 단어로 발음할 때 앞 단어의 마지막 음절에 받침이 있고 뒤 단어의 첫음절이 모음 '이'인 경우에는 'ㄴ' 음을 첨가하여 [니]로 발음할 수 있어요.
듣고 따라 해 보세요.
○ 빵을 만드는 일을 해요.
○ 서른일곱 살이에요.

18 새 어휘 | 반갑다 / 베트남어

[기본 교재]의 '활동 1'의 1번은 해당 단원의 주제로 구성된 모범 대화문으로 구성하였다. 모범 대화문의 앞부분에는 어떤 상황에서 대화가 진행되는지를 알 수 있도록 지시문을 두었다. 이는 지시문 자체가 대화문의 배경지식을 활성화하도록 되어 있으므로 이를 대화문 도입으로 사용할 것을 권장한다. 모범 대화문의 마지막에는 대화문 이해 질문을 두었다. 이를 통해 어휘와 표현, 문법에서 익힌 내용을 파악하도록 하였으므로 이를 수업에서 활용할 수 있다.

'활동 1'의 2번은 모범 대화문의 압축된 내용으로 구성되어 있으며 특히 교체 연습을 통해 학습자가 쉽게 대화에 익숙해지도록 하였다. 또한 마지막 부분에서는 대화를 만들어 보게 함으로써 유사한 대화의 자기 발화가 가능하도록 하였다. 따라서 마지막 부분은 학습자가 스스로 대화를 만들어 보는 것이므로 여기에 더 많은 시간이 배분될 수 있다.

또한 홀수 단원에서는 '발음'이 제시된다. '발음'은 대화문에서 제시된 표현 중 2단계 학습자가 언어 지식으로 익힐 시 도움이 되는 항목을 선정하였으며 목표 항목과 실제 발음, 발음의 규칙이나 설명을 제시하였고 연습할 수 있는 예문을 제시하였다.

+듣고 말하기

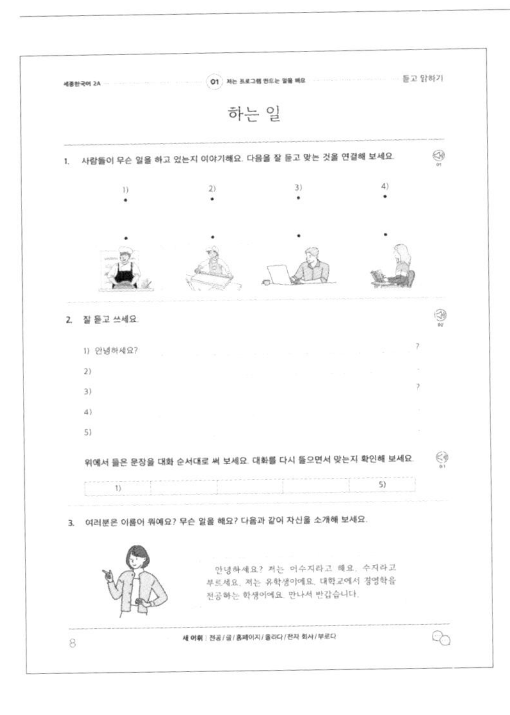

세종한국어 2A 01 저는 프로그램 만드는 일을 해요 듣고 말하기

하는 일

1. 사람들이 무슨 일을 하고 있는지 이야기해요. 다음을 잘 듣고 맞는 것을 연결해 보세요.

1) 2) 3) 4)

2. 잘 듣고 쓰세요.

1) 안녕하세요?
2)
3)
4)
5)

위에서 들은 문장을 대화 순서대로 써 보세요. 대화를 다시 들으면서 맞는지 확인해 보세요.

1)				5)

3. 여러분은 이름이 뭐예요? 무슨 일을 해요? 다음과 같이 자신을 소개해 보세요.

안녕하세요? 저는 이수지라고 해요. 수지라고 부르세요. 저는 유학생이에요. 대학교에서 경영학을 전공하는 학생이에요. 만나서 반갑습니다.

8 새 어휘 : 전공 / 글 / 홈페이지 / 올리다 / 전자 회사 / 부르다

[더하기 활동 교재]의 '듣고 말하기'는 [기본 교재]에서 배운 '활동 1'의 연장이다. 해외 상황을 고려하여 해당 주제의 다양한 '듣기'에 노출될 수 있도록 하였다. 각 '듣기'는 두 개의 지문으로 구성하였다.

1번 '듣기'에서는 지문을 듣고 사실적 이해 질문을 통해 듣기 이해 활동이 가능하도록 하였다.

2번은 들은 내용에 대한 이해는 물론 듣고 말하기 활동을 두었다. 이는 해당 주제에 대한 연습을 통해 자기 발화가 가능하도록 하기 위함이다. 3번은 말하기 활동으로 짝 활동, 모둠 활동이 가능하므로 더 많은 시간을 배분할 수 있다.

1) 듣기: 기본 교재 1번, 더하기 활동 교재 1번

- 학습자들과 함께 페이지 상단의 제목을 읽어 보고 어떤 주제에 대해 듣고 말할지 간단하게 이야기해 본다. 이때 해당 주제에 대해 학습자들의 개인적인 경험을 질문해 볼 수 있다.
- 지시문을 읽는다. 대화자, 대화 상황이 무엇인지 질문을 통해 확인한다.
- 문제를 읽어 본다. 그리고 제시된 삽화를 보며 학습자들에게 삽화와 관련하여 간단하게 질문해 본다. 이때 듣기에 나올 어휘 중 중요한 어휘 혹은 학습자들이 모를 만한 어휘를 알려 준다.
- 책에 있는 대화문을 보지 않고 듣기를 듣게 한다. 대화 내용과 관련하여 핵심적인 내용을 파악할 수 있는 질문을 한다.
- 듣기를 다시 듣는다. 학습자들이 교재에 제시된 질문에 답할 수 있도록 한다.
- 답을 확인한다. 교재의 질문 이외에도 세부적인 내용을 파악할 수 있는 질문을 해 본다.
- 내용 파악이 끝난 후에는 책을 보지 않고 듣기를 들으며 한 문장씩 따라 말하게 하거나, 학습자들이 동료와 나누어 읽도록 한다.

2) 말하기: 기본 교재 2번, 더하기 활동 교재 2번

- 듣기 내용과 관련 있는 말하기 활동을 해 볼 수 있도록 한다.
- 먼저 1번에서 익힌 대화문을 활용해 도입을 한다.
- 교재에 제시된 〈보기〉를 학습자들과 함께 읽어 본다.
- 마지막 항목에서 학습자가 자신의 정보를 활용하는 경우는 자신의 정보를 작성할 시간을 준다.
- 짝이나 팀을 정해 학습자들이 말하기 활동을 할 수 있도록 한다.
- 일정 시간 연습한 후에 짝 활동이나 팀 활동으로 발표를 해 보도록 한다. 발표의 경우 활동의 특성이나 교실 상황에 따라 유동적으로 운영할 수 있으나 가능한 많은 학습자들이 참여할 수 있도록 한다.

3) 발음: 기본 교재 하단

- 대화문에서 해당하는 표현을 어떻게 발음하면 좋을지 질문하며 도입한다.
- 예문을 보며 어떻게 발음될지 학습자들에게 먼저 질문한다.
- 목표 항목과 예문을 통해 발음 규칙을 설명한다.
- 예문을 들으며 발음을 확인한다.
- 학습자들에게 예문을 읽게 하여 발음을 정확히 하는지 확인한다.
- 학습자의 발음이 틀리는 경우 교정해 준다.

활동 2

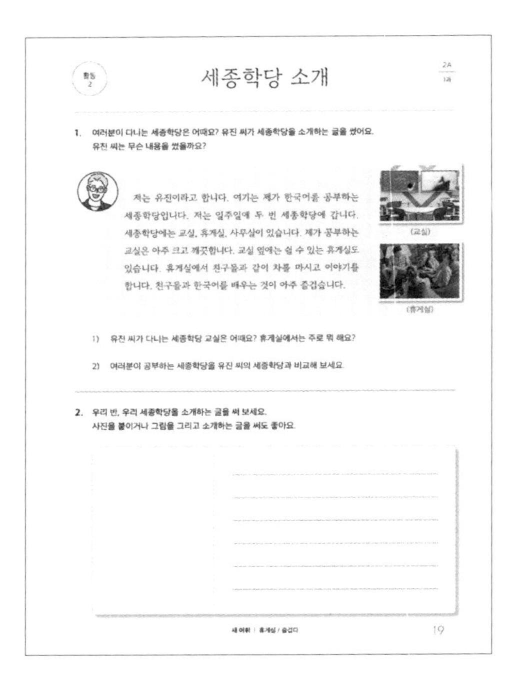
활동 2

2A 1과

세종학당 소개

1. 여러분이 다니는 세종학당은 어때요? 유진 씨가 세종학당을 소개하는 글을 썼어요. 유진 씨는 무슨 내용을 썼을까요?

저는 유진이라고 합니다. 여기는 제가 한국어를 공부하는 세종학당입니다. 저는 일주일에 두 번 세종학당에 갑니다. 세종학당에는 교실, 휴게실, 사무실이 있습니다. 제가 공부하는 교실은 아주 크고 깨끗합니다. 교실 옆에는 쉴 수 있는 휴게실도 있습니다. 휴게실에서 친구들과 같이 차를 마시고 이야기를 합니다. 친구들과 한국어를 배우는 것이 아주 즐겁습니다.

(교실)

(휴게실)

1) 유진 씨가 다니는 세종학당 교실은 어때요? 휴게실에서는 주로 뭐 해요?

2) 여러분이 공부하는 세종학당을 유진 씨의 세종학당과 비교해 보세요.

2. 우리 반, 우리 세종학당을 소개하는 글을 써 보세요. 사진을 붙이거나 그림을 그리고 소개하는 글을 써도 좋아요.

새 어휘 : 휴게실 / 즐겁다 19

[기본 교재]의 '활동 2'는 언어 기능으로는 '읽기, 쓰기'에 초점을 두었다.

1번에서는 해당 주제와 관련된 도입 질문을 두었으므로 이를 수업에서 적절히 활용할 수 있다. 읽기 지문 다음에는 읽은 내용에 대한 이해 질문을 두었다. 1번에서는 사실적 이해 질문, 2번에서는 읽은 내용의 주제에 대한 확장 질문을 두어 말하기 활동이 가능하도록 하였다.

'활동 2'의 2번에서는 읽은 지문이 도움을 주는 비계(scaffolding)가 되도록 하였다. 따라서 읽은 내용을 바탕으로 자신의 이야기를 쓸 수 있도록 권장한다. 학습자가 쓴 내용을 발표하거나 말하게 하는 활동이 되도록 하였으므로 2번의 활동에 학습 상황에 따라 더 많은 시간을 배분할 수도 있다.

+읽고 쓰기

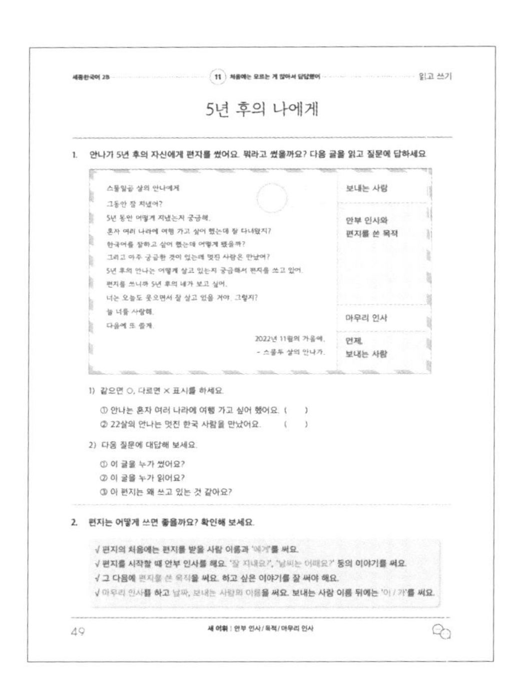
세종한국어 2B · 11 처음에는 모르는 게 많아서 답답했어 · 읽고 쓰기

5년 후의 나에게

1. 안나가 5년 후의 자신에게 편지를 썼어요. 뭐라고 썼을까요? 다음 글을 읽고 질문에 답하세요.

스물일곱 살의 안나에게
그동안 잘 지냈어?
5년 동안 어떻게 지냈는지 궁금해.
혼자 여러 나라에 여행 가고 싶어 했는데 잘 다녀왔지?
한국어를 잘하고 싶어 했는데 어떻게 됐을까?
그리고 아주 궁금한 것이 있는데 멋진 사람은 만났어?
5년 후의 안나는 어떻게 살고 있는지 궁금해서 편지를 쓰고 있어.
편지를 쓰니까 5년 후의 네가 보고 싶어.
너는 오늘도 웃으면서 잘 살고 있을 거야. 그렇지?
늘 너를 사랑해.
다음에 또 쓸게.
2022년 11월의 가을에,
- 스물두 살의 안나가.

보내는 사람
안부 인사와 편지를 쓴 목적
마무리 인사
언제, 보내는 사람

1) 같으면 ○, 다르면 × 표시를 하세요.

① 안나는 혼자 여러 나라에 여행 가고 싶어 했어요. (   )
② 22살의 안나는 멋진 한국 사람을 만났어요. (   )

2) 다음 질문에 대답해 보세요.

① 이 글을 누가 썼어요?
② 이 글을 누가 읽어요?
③ 이 편지는 왜 쓰고 있는 것 같아요?

2. 편지는 어떻게 쓰면 좋을까요? 확인해 보세요.

√ 편지의 처음에는 편지를 받을 사람 이름과 '에게'를 써요.
√ 편지를 시작할 때 안부 인사를 해요. '잘 지내요?', '날씨는 어때요?' 등의 이야기를 써요.
√ 그 다음에 편지를 쓴 목적을 써요. 하고 싶은 이야기를 잘 써야 해요.
√ 마무리 인사를 하고 날짜, 보내는 사람의 이름을 써요. 보내는 사람 이름 뒤에는 '이 / 가'를 써요.

49 새 어휘 : 안부 인사 / 목적 / 마무리 인사

[더하기 활동 교재]의 '읽고 쓰기'는 활동 2의 연장이나 [기본 교재]의 '활동 1' 다음에도 가능하다. [기본 교재]의 '활동 1'인 대화문 즉 '구어' 수업 후 [더하기 활동 교재]의 '읽고 쓰기' 즉 '문어' 수업으로 구성이 가능하기 때문이다. 따라서 학당의 특성에 맞게 구성할 수 있다.

2단계의 더하기 활동의 '읽고 쓰기'는 두 개의 단원이 하나의 주제나 장르로 구성된 문어 교육이 되도록 하였다. 예를 들어, 2B의 11과와 12과는 편지글이라는 한국어 장르에 익숙해지도록 구성하였다. 따라서 2B의 11과에서는 모범 편지글을 제시하였다. 특히 장르적 특성을 고려하여 보내는 사람, 글을 쓰는 목적, 마무리 인사, 언제 썼는지 보내는 사람의 형식을 이해할 수 있도록 하였다.

또한 읽기 지문에 대한 사실적 질문은 물론 글의 특성을 이해할 수 있도록 필자, 독자, 글의 목적에 대해 명확히 인지하도록 하였다. 이를 통해 편지글의 장르적 특성을 이해할 수 있도록 설명을 제시하였다.

1) 읽기: 기본 교재 1번, 더하기 활동 교재 1번

- 학습자들과 함께 페이지 상단의 제목을 읽어 보고 어떤 주제에 대해 읽고 쓸지 간단하게 이야기해 본다. 이때 해당 주제에 대해 학습자들의 개인적인 경험을 질문해 볼 수 있다.
- 지시문을 읽는다. 텍스트의 참여자가 누구이고 상황이 어떠한지를 질문을 통해 확인한다.
- 문제를 읽어 본다. 그리고 제시된 삽화를 보며 학습자들에게 삽화와 관련하여 간단하게 질문해 본다.
- 텍스트를 소리 내어 함께 읽는다.
- 학습자 스스로 텍스트를 읽고 문제를 풀어 볼 수 있는 시간을 준다.
- 학습자들이 동료 학습자들과 답을 맞춰 보게 한다.
- 학습자들에게 질문을 던져 학습자들이 이해하고 있는지 파악한다.
- 학습자들에게 텍스트를 읽게 하거나 교사가 텍스트를 읽으면서 해당 의미를 설명한다.
- 이해하지 못한 부분이 있는지 질문을 하고 이해 정도를 확인한다.

2) 쓰기: 기본 교재 2번, 더하기 활동 교재 2번

- 읽기 내용을 참고하여 쓰기 활동이 이루어질 수 있도록 한다. 쓰기 주제를 먼저 설명하도록 한다. 그리고 쓰기에 필요한 내용이 무엇인지, 어떤 순서로 내용을 쓰면 좋을지 질문을 통해 끌어내고 간단하게 설명한다.
- 학습자들이 쓸 정보를 메모하고 실제로 쓸 수 있는 시간을 준다.
- 학습자들이 쓰기 활동을 하는 동안 교사는 학습자의 글을 교정해 준다. 이때 맞춤법, 문장 구조 등을 수정해 준다.
- 쓰기 활동이 끝난 후에는 동료 학습자들과 바꾸어 읽거나 발표를 해 보도록 한다. 각 분반의 상황에 맞추어 모든 학습자들이 발표를 해 볼 수도 있고, 원하는 학습자 몇 명 정도만 발표해 볼 수도 있다. 이외에도 다양한 방법을 통해 학습자들이 다른 학습자들의 글을 접해 보고 다양한 글쓰기 방법에 대해 자연스럽게 터득할 수 있도록 한다.

+읽고 쓰기

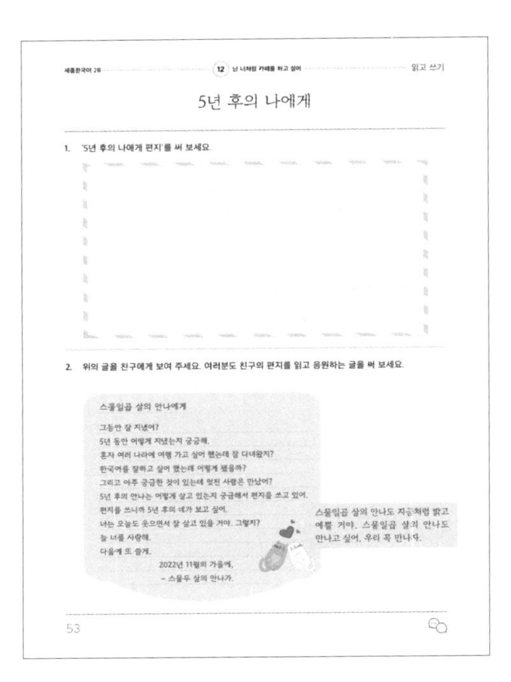
세종한국어 2B　12 난 너처럼 카페를 하고 싶어　읽고 쓰기

5년 후의 나에게

1. '5년 후의 나에게 편지'를 써 보세요.

2. 위의 글을 친구에게 보여 주세요. 여러분도 친구의 편지를 읽고 응원하는 글을 써 보세요.

스물일곱 살의 안나에게

그동안 잘 지냈어?
5년 동안 어떻게 지냈는지 궁금해.
혼자 여러 나라에 여행 가고 싶어 했는데 잘 다녀왔지?
한국어를 잘하고 싶어 했는데 어떻게 됐을까?
그리고 아주 궁금한 것이 있는데 멋진 사람은 만났어?
5년 후의 안나는 어떻게 살고 있는지 궁금해서 편지를 쓰고 있어.
편지를 쓰니까 5년 후의 네가 보고 싶어.
너는 오늘도 웃으면서 잘 살고 있을 거야. 그렇지?
늘 너를 사랑해.
다음에 또 쓸게.

2022년 11월의 가을에,
- 스물두 살의 안나가.

스물일곱 살의 안나도 지금처럼 밝고 예쁠 거야. 스물일곱 살의 안나도 만나고 싶어. 우리 꼭 만나자.

53

[더하기 활동 교재] 2B의 11과에서 익힌 편지글의 내용 이해와 장르적 특성을 바탕으로 실제로 글을 써 보는 활동은 12과에서 진행하도록 하였다. 이는 하나의 장르에 익숙해지도록 하여 한국어다운 글쓰기를 위한 시도이다.

1번에서 쓴 내용을 발표하게 하거나 다른 친구의 글을 읽고 댓글을 다는 다양한 유형의 연습을 통해 한국어 쓰기에 익숙해지도록 하였다. 쓰기 활동의 부분은 학습자의 언어 수준, 요구 등에 따라 시간 배분을 충분히 고려할 필요가 있다. 가능하면 수업 시간에 할 것을 권장하나 과제로 제시할 수도 있다.

정리

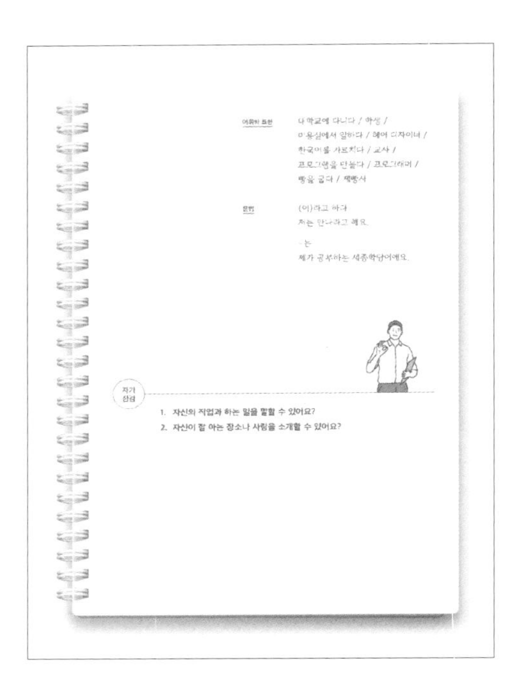
어휘와 표현　나 학교에 다니다 / 학생 /
미용실에서 일하다 / 헤어 디자이너 /
한국어를 가르치다 / 교사 /
프로그램을 만들다 / 프로그래머 /
빵을 굽다 / 제빵사

문법　(이)라고 하다
저는 안나라고 해요.

-는
제가 공부하는 세종학당이에요.

자기 점검
1. 자신의 직업과 하는 일을 말할 수 있어요?
2. 자신이 잘 아는 장소나 사람을 소개할 수 있어요?

[기본 교재]의 '정리'는 한 단원을 모두 배운 마지막에 이루어지는 것으로 해당 단원에서 배운 핵심 '어휘와 표현', '문법'을 정리할 수 있도록 하였다. 특히 목표 문법의 예문을 두어 배운 언어 지식이 장기 기억으로 이어질 수 있도록 반복 학습을 염두에 두었다.

'자기 점검'은 해당 단원에서 배운 주제와 기능에 대한 질문을 두어 학습자가 성취한 수준을 확인하고 점검하도록 하였다. '자기 점검'이 형식적인 행위가 되지 않도록 학습자가 직접 배운 주제와 기능에 대해 말해 보게 하는 활동 수행을 권장한다.

기본 교재

- 단원에서 무엇을 배웠는지 질문을 통해서 확인한다. 주제에 대한 대화문을 유도하면 좋다. 이후에 '어휘와 표현', '문법' 중에 어떤 것을 배웠고 기억이 나는지 질문한다.
- 교재를 보면서 정확히 의미를 알고 있는 '어휘와 표현', '문법'에 표시를 하게 할 수 있다.
- 학습자들에게 '자기 점검'의 질문을 보고 스스로 학습한 바를 점검하게 한다.
- 교수자는 학습자들이 학습한 바 또는 이후에 추가 학습할 것을 격려한다.

4. 교재의 연습 및 활동 유형

1) 간단한 연습 및 활동

① 질문에 해당하는 정보에 √ 표시하고 듣고 따라 하기

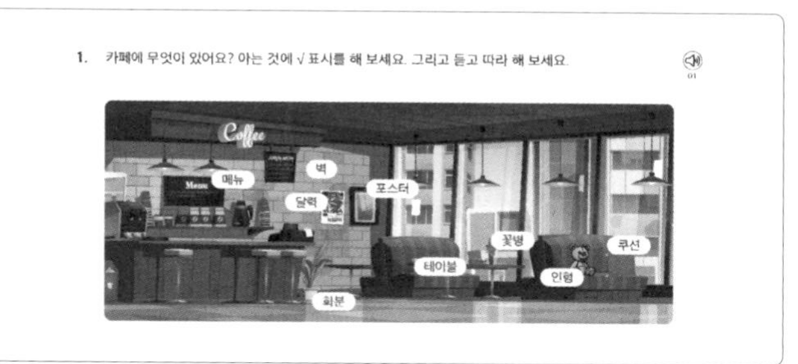

② 알맞은 표현을 연결하고 듣고 따라 하기

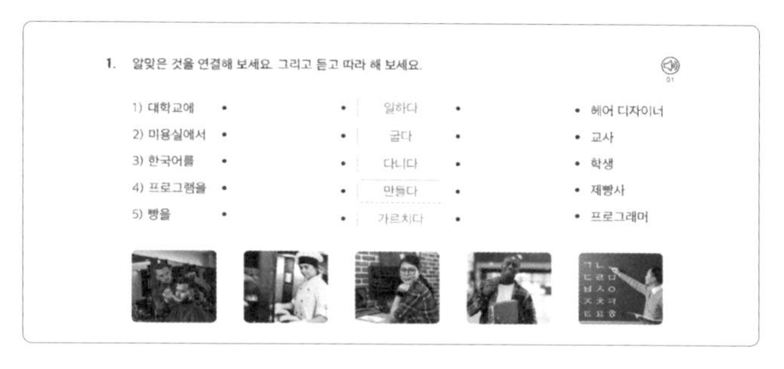

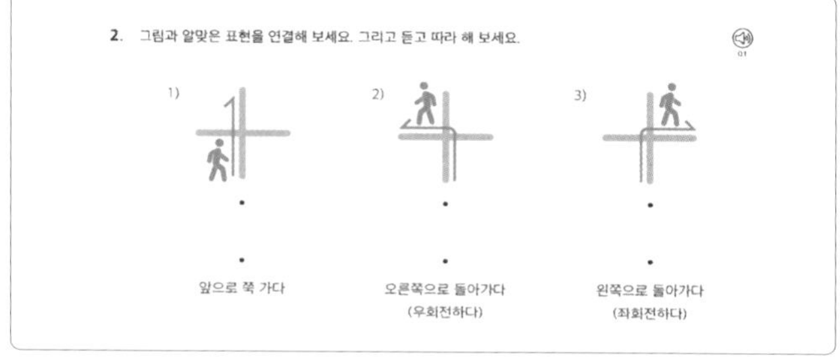

③ 듣고 알맞은 그림 연결하기

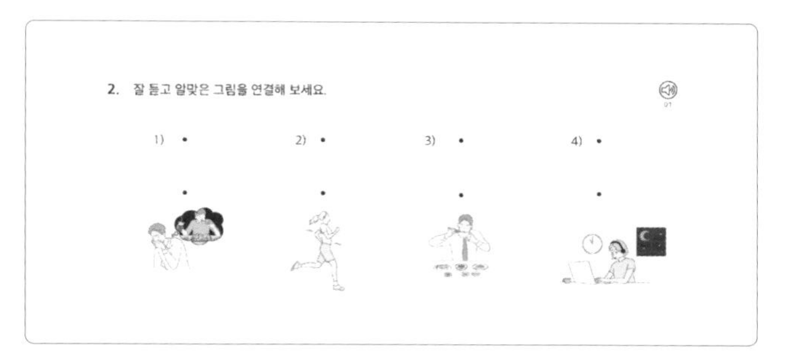

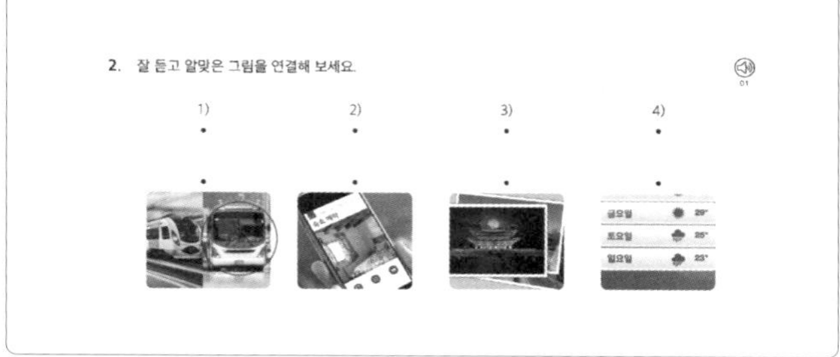

④ 듣고 알맞은 번호 쓰기

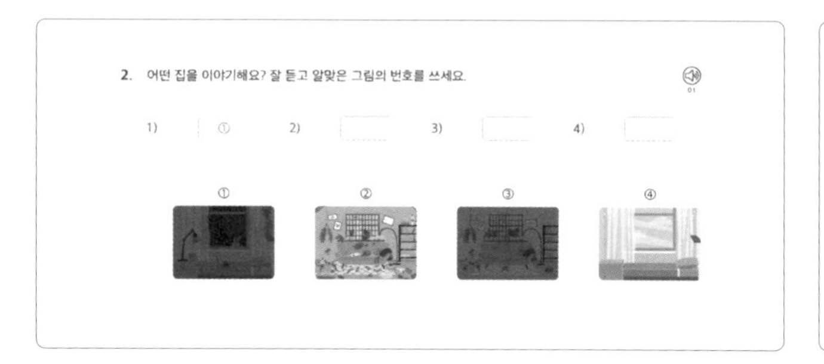

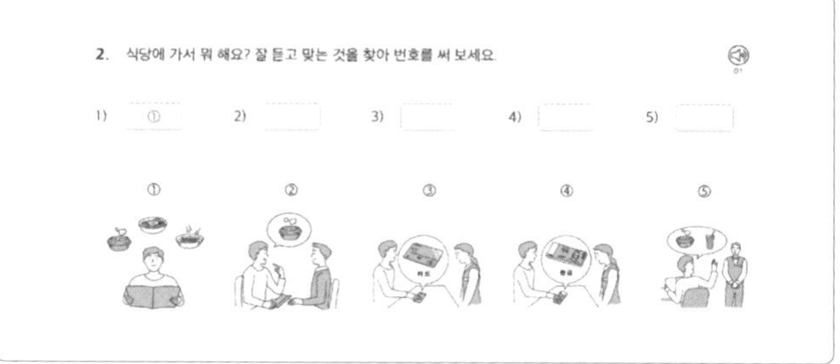

⑤ 듣고 정보에 대한 순서 쓰기

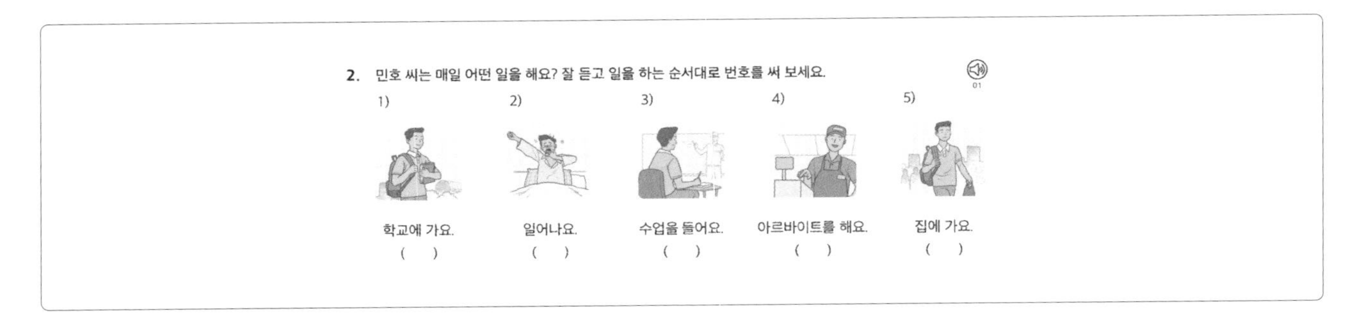

⑥ 듣고 쓰기

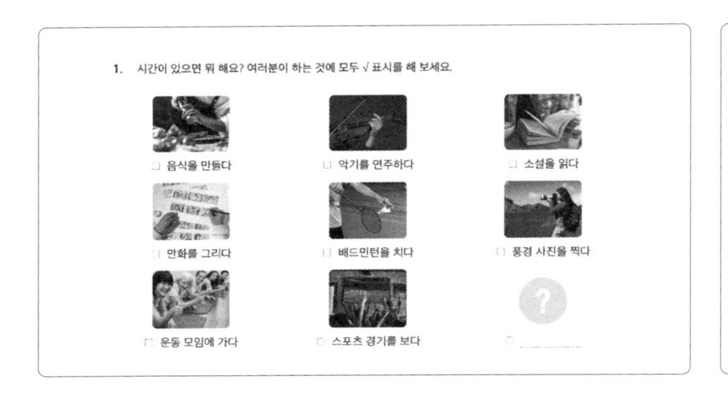

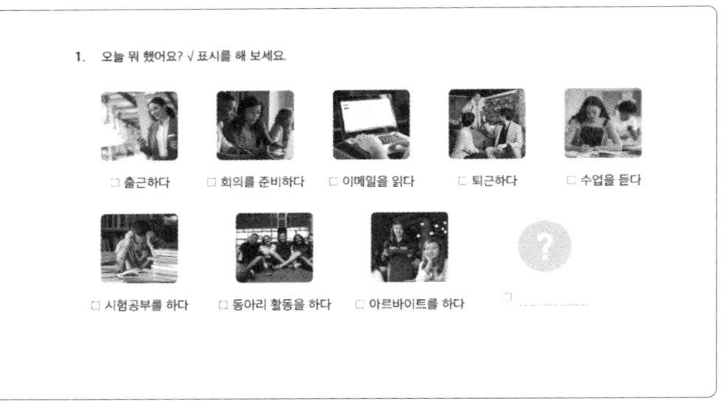

⑦ 질문에 해당하는 정보에 √ 표시하기

1. 시간이 있으면 뭐 해요? 여러분이 하는 것에 모두 √ 표시를 해 보세요.

□ 음식을 만들다 □ 악기를 연주하다 □ 소설을 읽다
□ 만화를 그리다 □ 배드민턴을 치다 □ 풍경 사진을 찍다
□ 운동 모임에 가다 □ 스포츠 경기를 보다 □

1. 오늘 뭐 했어요? √ 표시를 해 보세요.

□ 출근하다 □ 회의를 준비하다 □ 이메일을 읽다 □ 퇴근하다 □ 수업을 듣다
□ 시험공부를 하다 □ 동아리 활동을 하다 □ 아르바이트를 하다 □

⑧ 그림을 보고 문장이나 대화 완성하기

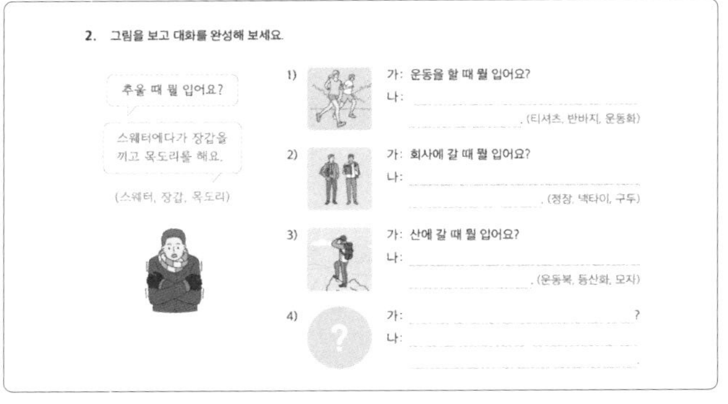

⑨ 문장이나 대화 완성하기

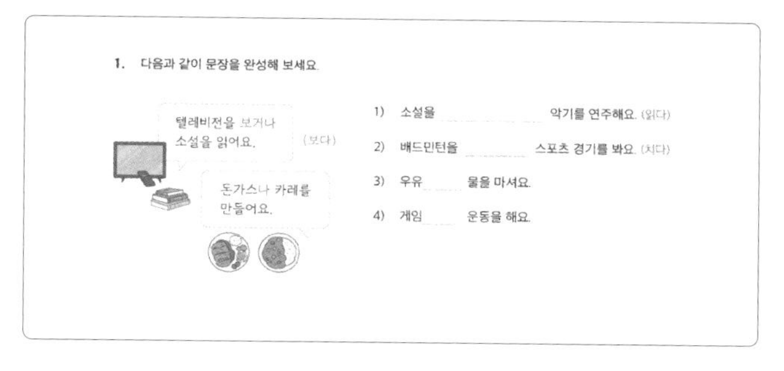

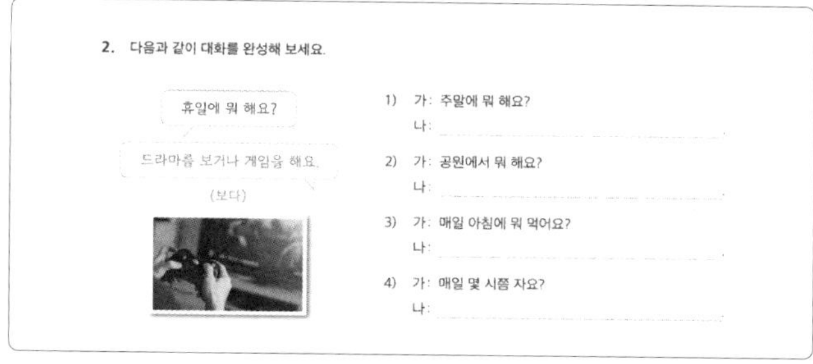

⑩ 알맞은 것 연결하기

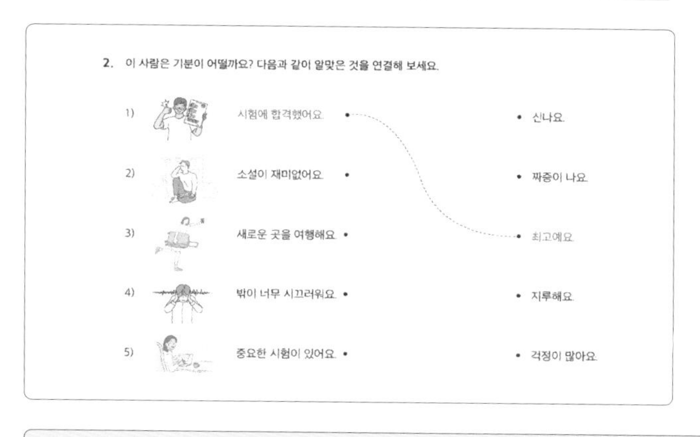

⑪ 알맞은 것 연결하고 문장 완성하기

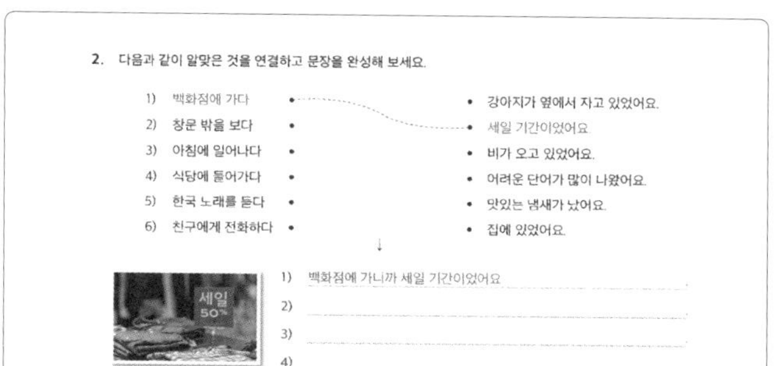

⑫ 그림을 보고 알맞은 번호나 표현 쓰기

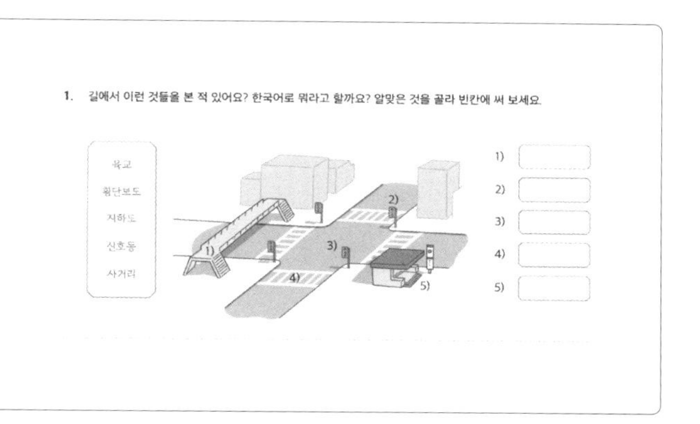

⑬ 알맞은 표현 쓰고 이야기하기

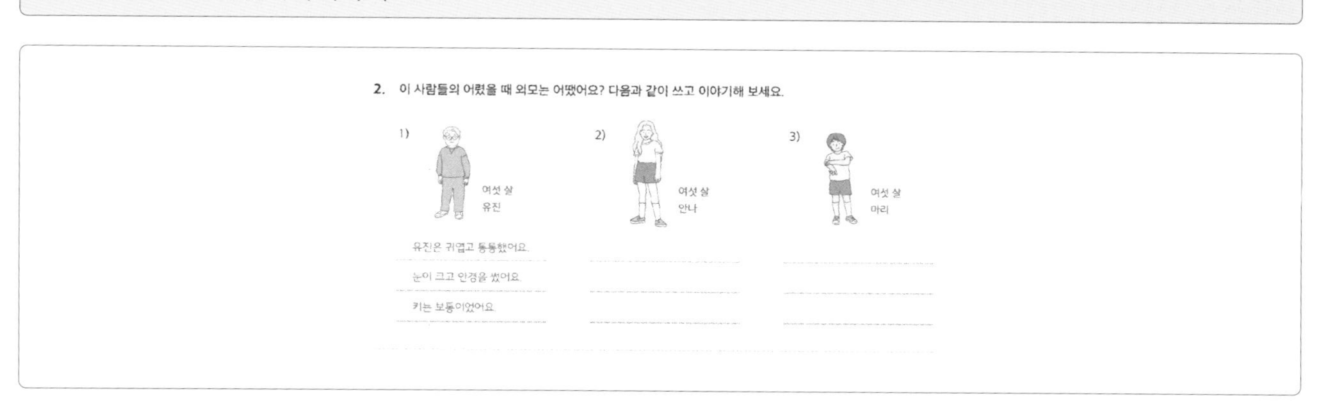

2) 확장 연습 및 활동

① 자신과 동료 학습자의 정보를 활용하여 이야기하기

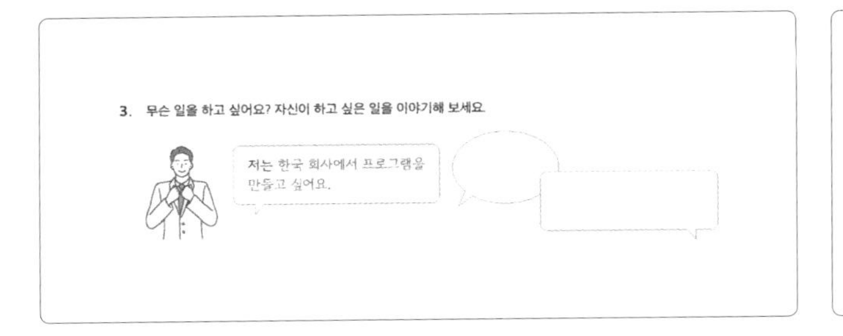

3. 여러분은 이번 주말에 뭐 할 거예요? 친구와 이야기해 보세요.

② 주어진 정보를 활용하여 이야기하기

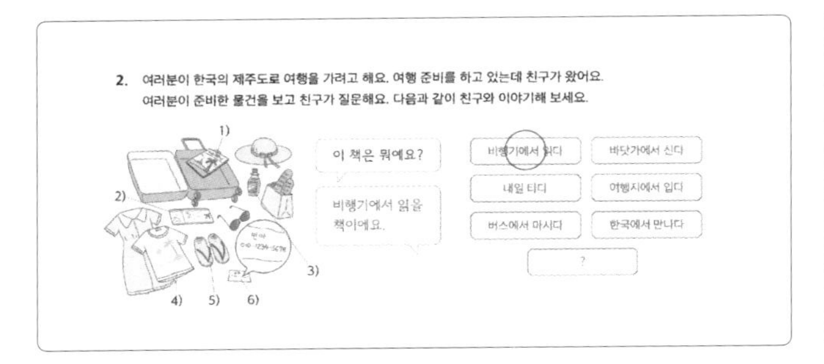

2. 다음 상황에서 어떻게 물어볼 거예요? 다음과 같이 이야기해 보세요.

1) 수업 시간에 책을 안 가져왔어요. 친구에게 → 책을 같이 봐도 돼요?
2) 식당에 갔는데 앉고 싶은 자리가 있어요. 점원에게 → ______?
3) 옷을 사러 갔는데 입어 보고 싶어요. 점원에게 → ______?
4) 학교에서 몸이 안 좋아요. 선생님께 → ______?

③ 자신의 정보나 주어진 정보를 활용하여 쓰기

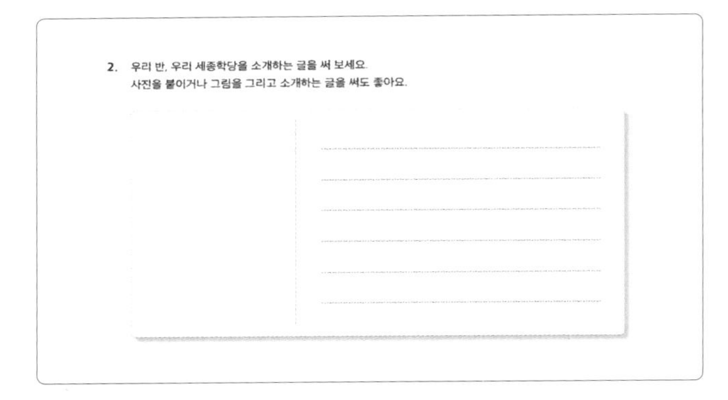

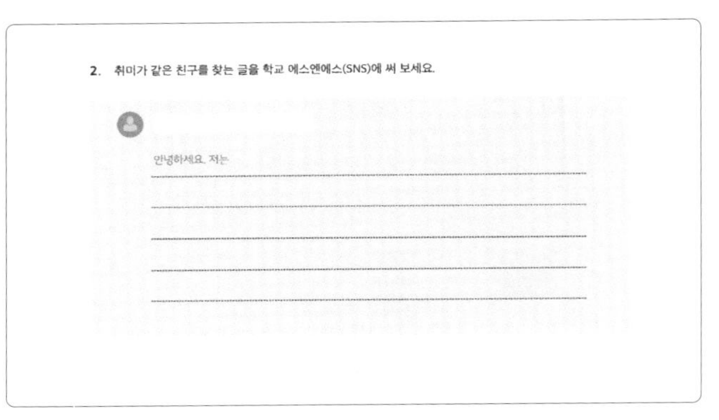

④ 그림을 보고 이야기하기

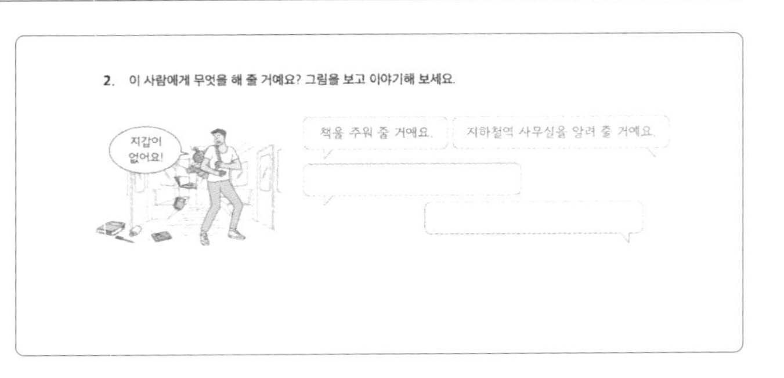

⑤ 자신의 정보를 활용하여 쓰고 발표하기

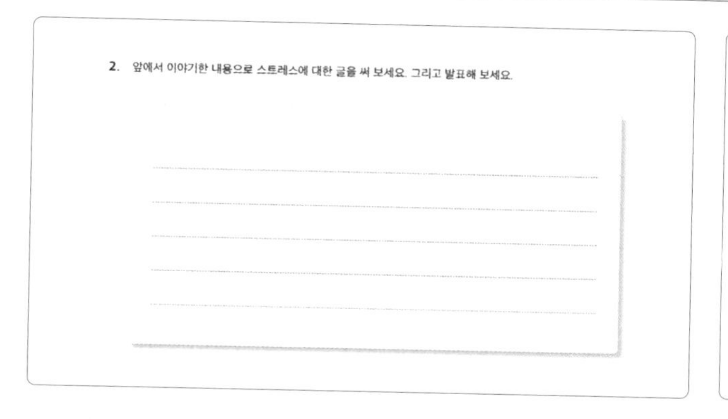

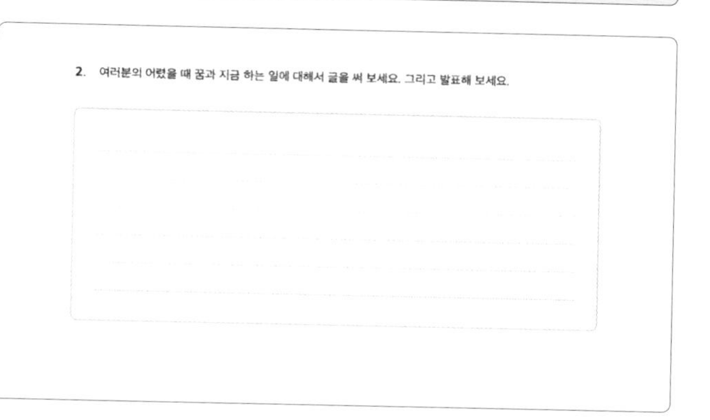

⑥ 자신의 정보를 활용하여 쓰고 이야기하기

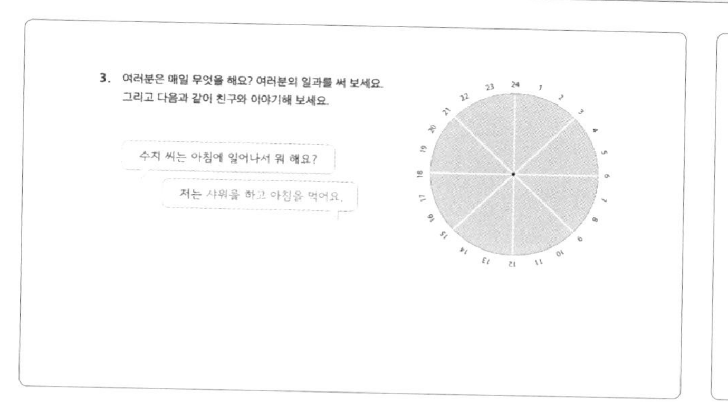

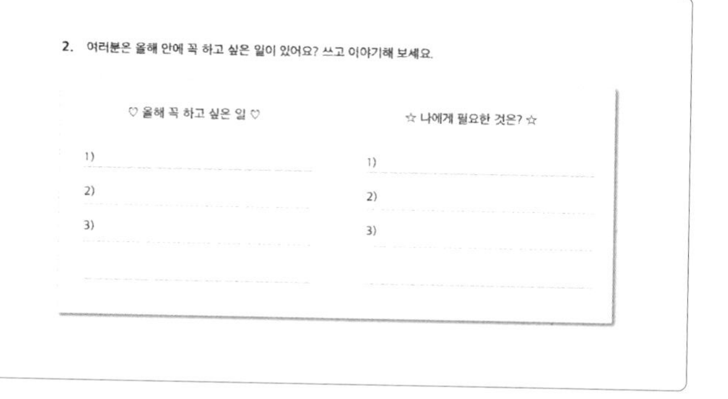

⑦ 그림 그리고 쓰기

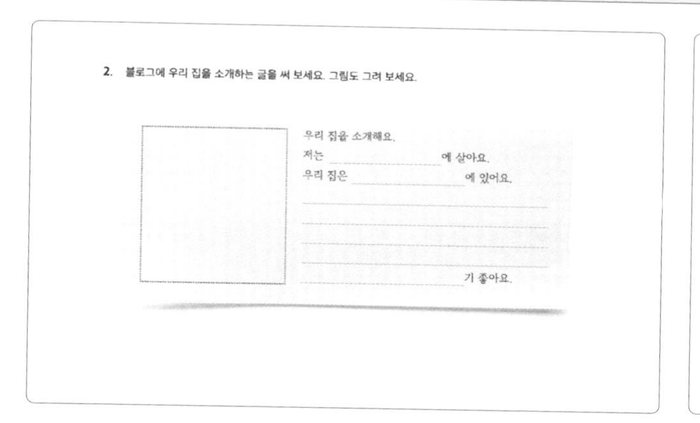

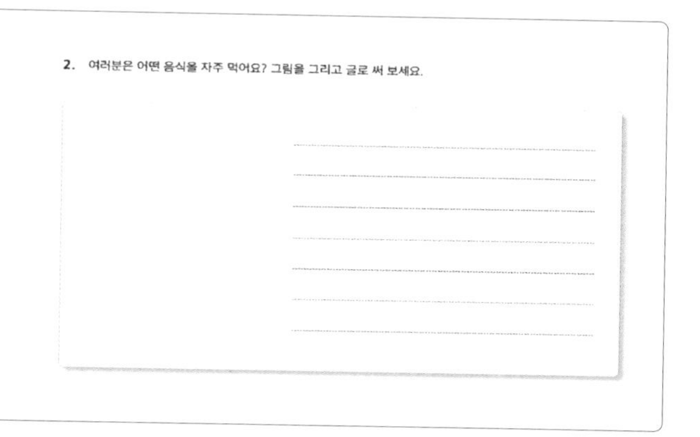

⑧ 문자, 이메일, 짧은 글 등 쓰기

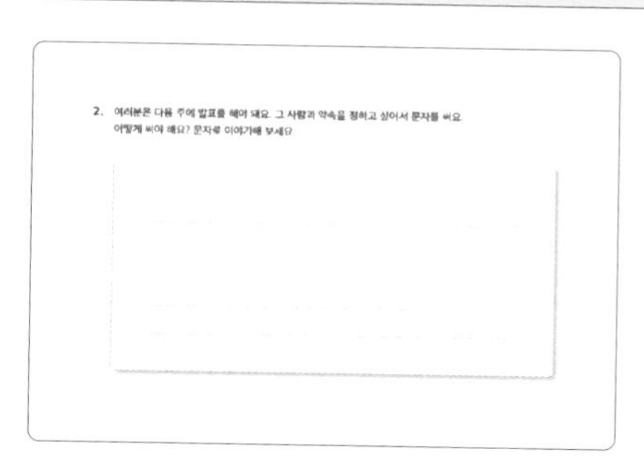

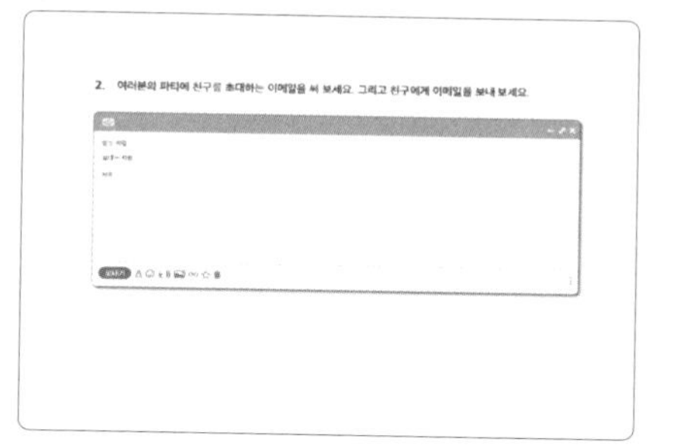

⑨ 자신의 정보나 주어진 정보를 활용하여 이야기하고 발표하기

2. 다음 장소에서는 무엇을 해도 되고 무엇을 하면 안 돼요? 다음과 같이 친구와 이야기하고 발표해 보세요.

> 교실에서는 노트북을 사용해도 돼요. 그리고 선생님께 질문을 많이 해도 돼요.
> 하지만 음식을 먹으면 안 되고 뛰면 안 돼요.

	장소	해도 돼요!	하면 안 돼요!
1)	교실	· 노트북을 사용해도 돼요 · 선생님께 질문해도 돼요	· 음식을 먹으면 안 돼요 · 뛰면 안 돼요
2)	도서관	· ·	· ·
3)	박물관	· ·	· ·
4)	버스 안	· ·	· ·
5)		· ·	· ·

2. 위의 조사를 다시 읽어 보세요. 여러분에게는 뭐가 중요해요? 그 순서를 정해 보세요.
그 이유도 쓰고 발표해 보세요.

⑩ 알맞은 것을 고르고 이야기 이어 만들기

2. 그림을 보고 알맞은 것을 골라 보세요. 그리고 다음 이야기를 이어서 만들어 보세요.

오늘은 제 생일이에요. 저는 동생과 쌍둥이예요. 우리 집(① 에서는 / ② 에만) 생일날 가족이 모여 저녁을 먹어요. 엄마는 저(① 에게는 / ② 에게도) 목걸이를, 동생(① 에게서 / ② 에게는) 지갑을 선물로 주셨어요. 지갑(① 에는 / ② 에도) 돈이 들어 있었어요.

2부

단원별 내용

저는 프로그램 만드는 일을 해요

어휘와 표현	직업	15쪽

□ 15쪽 1번에서는 연결하기 진행 후, 동사 뒤에 '-아요/어요'가, 직업 어휘 뒤에 '이에요/예요'가 결합한다는 것을 판서로 제시한다. 완성된 문장을 듣고 따라 읽으면서 기본 교재 2번 활동과 자연스럽게 연결될 수 있도록 한다.

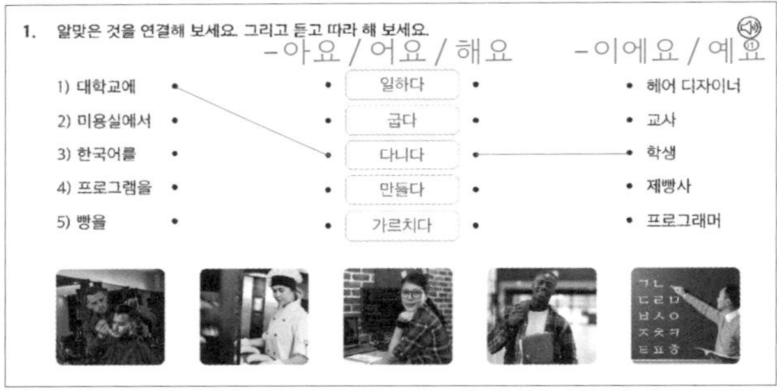

□ 교사가 먼저 한국에서 인기 있는 직업을 소개하고, 현지에서 인기 있는 직업에 대해 말하기를 하면서 진행한다.

예 연예인, 공무원, 교사, 컴퓨터 프로그램 개발자, 인터넷 방송인 등

문법 1	(이)라고 하다	16쪽

□ 이 문법은 자기소개의 예를 통해 학습자들이 이해하기 쉬운 표현으로 학습 부담이 낮은 편이다. 그러나 초급 학습자가 한국어 표현을 질문할 때도 많이 사용할 수 있는 표현이므로 충분히 연습하도록 한다.

□ **도입**

16쪽 이 사람은 지금 뭐 해요? (인사해요. / 소개해요.) 이름이 뭐예요? (안나예요.) 네. 맞아요. 처음 만나요. 소개해요. 그럼 "○○이라고 해요"라고 말해요. → 이 사람은 안나라고 해요.	16쪽 여러분, 이 옷 알아요? (네.) 한국어로 어떻게 말해요? (한복이요.) 네. 맞아요. 한국어로 이름을 소개해요. → 이 옷은 한복이라고 해요.

□ **설명**

- 의미: 명사와 결합하여 주로 자신의 이름을 소개할 때 사용한다. 누가 어떤 것을 무엇으로 부를 때 '무엇으로'에 해당하는 말 뒤에 사용한다.

• 처음 만나요. 이름이 뭐예요? 이렇게 소개해요.
그럼 "○○○이라고 해요." 이렇게 말해요. 우리 같이 연습해 봐요. (반 학생의 이름을 부르며) ○○ 씨, 안녕하세요? 저는 ☆☆라고 해요. (안녕하세요? 저는 ○○이라고 해요.)

• 여러분이 한국어를 몰라요. 한국어로 뭐예요?
물어보고 싶어요. 그럼 그 물음에 "○○이라고 해요." 이렇게 말해요.
(손에 연필을 들고) 여러분, 이거 뭐예요? (연필이요.)
네. 한국어로 연필이라고 해요. (책을 들고) 이건 뭐예요? (책이요.)
네. 한국어로 책이라고 해요. (교사의 반지나 안경을 가리키며) 이건 뭐예요? (몰라요.)
이것은 한국어로 반지라고 해요. / 안경이라고 해요.
이렇게, "이름이 뭐예요?"라고 소개하거나 "한국어로 뭐예요?"라고 말할 때 '이라고 해요'를 사용해요.

- 형태: 명사 또는 인용하는 표현 뒤에 '(이)라고 하다'를 사용한다.

명사	
받침 ○	받침 ×
이라고 해요	라고 해요
유진이라고 해요.	안나라고 해요.
연필이라고 해요.	지우개라고 해요.
비빔밥이라고 해요.	김치라고 해요.

- 기타 사항: 한국 친구에게 해당 국가의 말을 알려 줄 때도 사용할 수 있음을 알려 준다.

예 중국에서는 밤에 "晚安。(완안, 중국어)"이라고 인사해요.

- 추가 예문

안녕하세요? 저는 재민이라고 해요.
이 사람은 책을 써요. 소설을 써요. 이 사람의 직업이 뭐예요?
한국어로 '작가'라고 해요.
한국에서는 설날에 "새해 복 많이 받으세요."라고 인사해요.

문법 2	-는	17쪽

☐ 이 문법은 받침 유무에 따른 형태 차이가 없으므로 형태 학습에 대한 부담은 적은 편이지만, 활용도가 높고 앞으로 배우게 될 동사 관형형 과거 '-(으)ㄴ'과 동사 관형형 미래 '-(으)ㄹ' 활용과도 연결되므로 정확하게 이해할 수 있도록 시간을 충분히 배분하는 것이 좋다.

☐ 도입

17쪽 이 사람과 안나 씨는 친구예요. 이 사람은 친구 안나 씨를 좋아해요. 사람들에게 안나 씨를 소개할 거예요. 어떻게 말해요? → 제가 좋아하는 친구예요. 이름은 안나예요.	17쪽 여기는 어디예요? (세종학당 / 교실이요.) 여러분, 여기서 뭐 해요? (공부해요.) 네. 그럼 이렇게 말해요. → 제가 공부하는 세종학당이에요.

☐ 설명

- 의미: 동사와 결합하여 뒤에 오는 명사를 수식한다. 동작이 현재 일어나고 있음을 나타낸다.

> • (그림을 보여 주며) 여러분 그림을 보세요. 여기는 세종학당이에요.
> 이 사람은 선생님이에요. 지금 뭐 해요? (커피를 마셔요.)
> 네. 선생님은 지금 커피를 마셔요. 커피를 마시는 사람은 선생님이에요.
> • 이 사람은 ○○ 씨예요. 지금 뭐 해요? (책을 읽어요.)
> 네. ○○ 씨는 지금 책을 읽어요. 책을 읽는 사람은 ○○ 씨예요.
> • 이 사람은 ○○ 씨예요. ○○ 씨는 뭐 해요? (친구와 이야기해요.)
> 네. ○○ 씨는 지금 친구와 이야기해요. 친구와 이야기하는 사람은 ○○ 씨예요.
> • 오늘은 ☆요일이에요. 학생들이 ☆요일에 세종학당에 와요.
> 수업이 있어요. ☆요일은 세종학당에 오는 날이에요. 수업이 있는 날이에요.
> 여러분, '-는' 어떻게 사용해요? 알겠어요? (네.)

- 형태

동사	
받침 ○, 받침 × -는 읽는, 먹는, 입는, 가는, 보는, 만나는	'ㄹ' 받침 -는(어간 'ㄹ' 탈락) 사는, 만드는, 파는, 아는

☆ 동사 관형형 과거 표현인 '-(으)ㄴ'은 2A권 12과에서 학습하고 동사 관형형 미래 표현인 '-(으)ㄹ'은 2B권 2과에서 학습한다.

- 추가 예문

제가 읽는 책은 한국 소설이에요.
마리 씨가 자주 가는 식당이 여기예요.
요즘은 혼자 사는 사람이 많아요.
학교에서 파는 연필이 싸요.

☐ '어휘와 표현' 1번을 활용하여 '-는 명사' 학습을 정리할 수 있다. 동사가 제시되는 중간 부분에 '-아요/어요/해요' 대신 '-는'을 넣어서 연습할 수 있다.

예 대학교에 다니는 학생이에요. / 미용실에서 일하는 헤어 디자이너예요.

더하기 활동 | 7쪽, 2번

☐ 그림을 보고 무엇을 하는 누구인지 말하는 부분이다. 연습에 앞서 교사는 "여러분, 앞에 있는 선생님을 보세요."라고 말하며 주의를 집중시킨다. 그리고 "옆 사람하고 이야기하는 ○○ 씨도 여기 보세요."와 같이 말하며 [더하기 활동 교재]로 연결할 수 있다.

발음	무슨 일	18쪽

☐ 두 단어를 이어서 한 마디로 발음할 때 앞 단어의 마지막 음절에 받침이 있고 뒤 단어의 첫음절이 모음 '이'인 경우에는 'ㄴ' 음을 첨가하여 [니]로 발음할 수 있다.

☐ '무슨 일'은 [무슨닐]로, '서른 일곱'은 [서른닐곱]으로 발음할 수 있다.

활동	첫 만남 / 세종학당 소개	18~19쪽

☐ '활동 1'은 '첫 만남'으로 이름과 직업을 소개하는 부분이다. 학습자가 주로 학생으로 구성된 세종학당의 경우, 직업을 소개하는 대신 장래희망을 이야기하는 대화로 바꾸어 연습할 수 있다.

예 마리 씨는 무슨 일을 해요? → 마리 씨는 무슨 일을 하고 싶어요? 저는 프로그램 만드는 일을 해요. → 저는 프로그램 만드는 일을 하고 싶어요.

□ '활동 2'는 '세종학당 소개'로 장소를 소개하는 활동이다. 교사는 쓰기 전 활동으로 학습자 전체에게 세종학당의 공간과 그곳에서 하는 일 등을 질문하여 '-는 명사(장소)' 표현을 사용하도록 유도한다.

- 우리 세종학당에도 휴게실이 있지요? 또 어떤 장소가 있어요? (요리실 / 사랑방이 있어요.)
- 그곳에서 뭐 해요? (음식을 만들어요. / 한국 문화를 배워요.)
- 네. 우리 세종학당에는 음식을 만드는 요리실이 있어요. 한국 문화를 배우는 사랑방도 있어요. 여러분, 우리 세종학당을 소개하는 글을 써보세요.

등산을 하거나 운동 모임에 가요

어휘와 표현	여가 활동	23쪽

□ 2과 '어휘와 표현' 1번 문항에서는 여가 활동에 대해 이야기하는 데 필요한 표현들을 연어의 형태로 제시하였다. 이들 표현에는 2A 2과 이전에 학습한 어휘들이 포함되어 있으므로 교사가 먼저 의미를 제시하기보다는 학생들이 각 표현을 읽고 그 의미를 생각해 볼 수 있는 시간을 준 후에 질문이 있는 항목에 대해 설명하는 것이 좋다.

□ 2번, 3번의 활동을 통해 인터뷰한 내용을 메모해 두었다가, 이를 바탕으로 [기본 교재] '문법 1'의 '-거나, (이)나'의 도입 및 연습에 활용할 수 있다.

문법 1	-거나, (이)나	24쪽

□ 동사 및 형용사와의 결합형과 명사와의 결합형의 형태적 차이가 있으므로 '-거나'와 '(이)나'의 도입 및 형태 변화를 분리하여 제시하고 연습하는 것이 좋다.

□ 학생들이 어휘와 표현을 충분히 익히지 못했거나 '-거나'를 쉽게 활용하지 못하는 경우, [더하기 활동 교재]의 '어휘와 표현' 1번 문항에서 사용한 카드를 '-거나'의 형태 연습에서 다시 한번 활용할 수 있다. 이때는 카드 묶음 중 무작위로 두 장의 카드를 뽑은 다음 카드에 있는 표현을 '-거나'로 연결하는 짝 활동으로 짧게 진행한다.

□ 도입

24쪽 '가'하고 '나'가 이야기해요. '가'가 질문해요. 휴일에 뭐 해요? (왼쪽의 그림을 가리키며) 여러분, '나'는 휴일에 뭐 해요? (음식을 만들어요. / 청소를 해요.) 네. → 음식을 만들거나 청소를 해요.	24쪽 '나'는 휴일에 음식을 만들어요. (오른쪽 그림을 가리키며 질문한다.) '나'는 휴일에 보통 무슨 음식을 만들어요? (삼계탕이요. / 불고기요.) 네. → 삼계탕이나 불고기를 만들어요.

□ 설명

- 의미: '-거나'는 동사와 '(이)나'는 명사와 결합하여, 앞에 오는 말과 뒤에 오는 말 중에서 하나를 선택할 수 있을 때 사용한다.

• -거나 (도입에서 연결한다.)
'나'는 휴일에 음식을 만들어요. 청소를 해요. 휴일에 둘 다 해요? 아니요. 하나만 해요. 음식을 만들거나 청소를 해요.

• (어휘와 표현 '연습 2'에서 학생들과 나누었던 이야기를 활용한다.)
○○ 씨는 주말에 뭐 해요? (스포츠 경기를 봐요. / 배드민턴을 쳐요.) 둘 다 해요? (아니요.) ○○ 씨는 스포츠 경기를 보거나 배드민턴을 쳐요.
여러 일을 할 수 있어요. 하나만 해요. '-거나'를 넣어 말해요.

• (이)나
○○ 씨는 아침에 뭐 먹어요? (빵 / 밥이요.) 둘 다 먹어요? (아니요.) ○○ 씨는 아침에 빵이나 밥을 먹어요.
햄버거를 먹어요. 뭘 같이 마셔요? (콜라 / 사이다요.) 햄버거 하나를 먹어요. 콜라하고 사이다 둘 다 마셔요? (아니요.) 콜라나 사이다를 마셔요.
여러 개가 있어요. 하나만 해요. '(이)나'를 넣어 말해요.

☆ 본 교재에는 '선택'의 의미가 강하게 드러나지 않는 형용사와의 결합형은 제시되지 않는다.

- 형태: '-거나'는 동사와 결합하며 받침 유무에 관계없이 '-거나'를 쓴다.

명사	
받침 ○	받침 ×
이나 삼계탕이나 불고기 소설이나 만화 운동이나 공부	나 돈가스나 카레 드라마나 게임 콜라나 사이다

문법 2	-(으)ㄹ까요?	25쪽

□ 도입

25쪽 (도입 그림 중 왼쪽에 앉은 사람의 생각 풍선을 가리키며 이야기한다.) 날씨가 아주 맑아요. 산에 가고 싶어요. 이 사람이 이야기해요. "내일 같이 등산 가요." (오른쪽에 앉은 사람의 생각 풍선을 가리키며 이야기한다.) 그런데 내일 날씨가 맑아요? 흐려요? 이 사람은 잘 몰라요. (왼쪽에 앉은 사람을 가리키며) 이 사람은 알아요? 질문해요.
→ 내일도 날씨가 맑을까요?

□ 설명

- 의미: 동사나 형용사와 결합하여 아직 일어나지 않았거나 모르는 일에 대해서 추측하며 질문할 때 사용한다.

(도입에서 연결한다.)
• (도입의 '맑다', '맑을까요?' 판서) 내일 비가 와요? ('비가 오다' 판서) 저는 몰라요. 여러분은 알아요? (아니요.) 질문해요. "내일 비가 올까요?" ('올까요?' 판서) 내일 날씨가 더워요? ('날씨가 덥다' 판서) 저는 몰라요. 친구는 알아요? 질문해요. "내일 날씨가 더울까요?" ('더울까요?' 판서)

☆ 상대에게 제안을 할 때 사용되는 '-(으)ㄹ까요?'(1A 10과)와는 그 의미가 구별된다. 제안의 '-(으)ㄹ까요?'는 형용사와 결합하지 않는다는 점에서 추측의 '-(으)ㄹ까요?'와 차이가 있다. 또한 제안의 '-(으)ㄹ까요?'가 사용된 문장의 주어는 보통 '나'나 '우리'라는 점이 특징적이다.
예 제가 도와줄까요? / 우리 주말에 영화를 보러 갈까요?

- 형태

동사, 형용사	탈락 / 불규칙
받침 ○ -을까요? 먹을까요? 읽을까요? 맑을까요? 좋을까요? 받침 × -ㄹ까요? 올까요? 잘까요? 마실까요? 공부할까요?	• 알다 → 알까요? • 듣다 → 들을까요? (규칙: 받다 → 받을까요?) • 어렵다 → 어려울까요? (규칙: 좁다 → 좁을까요?)

- 문장 구성

① 과거는 '-(으)ㄹ까요?' 앞에 '-았/었-'을 넣어 '-았을까요?/었을까요?'의 형태로 쓴다. 이는 [기본 교재] '문법 2'의 2번 문항 중 3)에 제시되어 있다.

② '-(으)ㄹ까요?'가 사용된 질문의 내용에 대해 매우 정확한 정보를 가지고 있는 경우를 제외하면 대부분 '-(으)ㄹ 거예요'를

사용해 대답한다. '-(으)ㄹ 거예요'를 활용한 응답은 [기본 교재] '문법 2'의 2번 문항을 통해 연습할 수 있다.

예 가: 오늘 추울까요?

나: (밖에 다녀와서 날씨를 직접 느낀 경우) 네. 오늘 추워요.

나: (일기예보를 본 경우/어제 날씨를 통해 추측할 경우) 네. 오늘 추울 거예요.

- 추가 예문

안나 씨가 저를 좋아할까요?

재민 씨는 무슨 꽃을 좋아할까요?

마리 씨가 그 영화를 봤을까요?

유진 씨가 지금 어디에 있을까요?

□ 제안의 '-(으)ㄹ까요?'를 통해 형태 변화를 이미 연습해 본 적이 있는 단계의 학습자들이므로 1번 문항에서는 '-(으)ㄹ까요?'가 다양한 표현들과 함께 사용되는 문장을, 2번 문항에서는 선어말 어미 '-었-'과 결합한 형태의 문장을 만들어 볼 수 있게 하였다.

더하기 활동 | 11쪽, 2번

□ 약속 정하기는 말하기 짝 활동으로 수행할 수 있다. 해당 문항을 통해서는 제안의 '-(으)ㄹ까요?'와 추측의 '-(으)ㄹ까요?'를 통합적으로 연습해 볼 수 있다.

더하기 활동 | 12쪽, 3번

□ 같은 반에서 취미가 같은 친구를 찾아 취미 활동과 관련된 약속을 정하고 그 결과를 발표하는 말하기 과제이다. [더하기 활동 교재] '문법 2'를 수행한 후, 반 전체 활동으로 확장하여 활용하는 것이 적절하다.

활동	휴일에 하는 일/친구 찾기	26~27쪽

□ [기본 교재] '활동 1'의 1번 지문에 포함된 '정말요?'는 구어에서 자주 나타나는 '명사+요' 구성을 갖추고 있는데, 이때의 '요'는 듣는 사람에 대한 존대의 뜻을 나타내는 조사이다. '요'는 명사, 부사, 연결어미 뒤에 결합하며, 앞에 오는 말의 끝음절 받침 유무에 관계 없이 동일한 형태로 쓴다. 본문에 나오는 명사와의 결합 형태를 중심으로, 학생들에게 이러한 '요'의 의미와 쓰임을 간단히 알려 준다.

가: 저 오늘 한강에 갈 거예요.

나: 한강요? 와, 저도 가고 싶어요.

가: 내일 비가 올까요?

나: 내일요? 안 올 거예요.

가: 우리 이제 집에 갈까요?

나: 네. 이것만 하고요.

□ '활동 1'의 2번 문항 3) 대화 예시

가: 유진 씨, 휴일에 뭐 해요?

나: 공원에서 산책을 하거나 배드민턴을 쳐요.

가: 아, 휴일에는 보통 운동을 해요?

나: 네. 이번 주말에도 공원에 가서 친구하고 배드민턴을 칠 거예요.

□ '활동 2'의 쓰기 과제의 경우 책에 직접 쓰고 교사에게 피드백을 받은 후, 학교 에스엔에스(SNS) 계정에 실제로 올리도록 할 수 있다. 활동에 할애할 시간적 여유가 있을 경우 휴대폰으로 한국어를 쓰는 방법을 함께 배워 볼 수도 있다. 완성된 글을 에스엔에스(SNS)에 올릴 때는 한국어로 해시태그를 설정하도록 지도한다. 이후 반 친구들이 올린 글에 댓글을 달거나 '좋아요'를 누르게 하는 등의 추가 활동도 가능하다.

요즘 아침마다 회의가 있어요

어휘와 표현	하루 일과	31쪽

□ '어휘와 표현' 1번 문항에서는 '문법 2'의 도입에서 활용할 '출퇴근하다'를 '출근하다', '퇴근하다'와 함께 교수할 수 있다.

□ 3번 문항은 교재에 자신의 일과표를 그린 후 완성한 자신의 일과표를 보면서 서로 대화하게 하는 활동이다. 교사는 짝을 이룬 두 학생이 대화를 시작하기 전, 교재의 일과표 양식이 그려진 추가 활동지를 배부할 수 있다. 학생들은 '짝의 하루 일과'를 들으면서 활동지의 일과표에 들은 내용을 메모하고, 활동이 끝난 후 서로가 메모한 일과표의 내용이 정확한지 확인한다. 이러한 추가 활동을 제공함으로써 어휘 학습과 함께 듣기와 말하기 연습을 할 수 있다.

더하기 활동 | 14쪽, 1번

□ '마다'에 대한 교수가 이루어진 후의 말하기 과제로 활용하는 것이 적절하다.

문법 1	마다	32쪽

□ **도입**

32쪽 (책의 그림을 가리키며)
이 다이어리를 보세요. 7일은 일요일이에요. 뭐 해요? (데이트해요.) 14일하고 21일 일요일에 뭐 해요? (데이트해요.) 맞아요. 7일, 14일, 21일 다 일요일이에요. 다 데이트해요. 이 사람은 일요일마다 데이트해요.

□ **설명**

- 의미: 명사와 결합하여 '하나하나 빠짐없이 모두'라는 뜻을 나타낼 때 사용한다.

(도입에서 연결한다.)
- ('데이트를 해요' 판서) 이 사람은 언제 데이트를 해요? (일요일에 데이트해요.) 맞아요. ('데이트를 해요' 앞에 '일요일' 판서) 이 사람은 지난 일요일에 데이트를 했어요. 이번 일요일에 데이트를 해요. 다음 일요일에 데이트를 해요. 그 다음 일요일에 데이트를 해요. ('일요일' 뒤에 '마다' 판서)
- ('운동을 해요' 판서) 이 사람은 언제 운동을 해요? (목요일에 운동을 해요.) 맞아요. (달력을 짚으면서) 하나, 둘, 셋, 넷, … 목요일이에요. 다 운동을 해요. 목요일마다 운동을 해요. ('목요일마다 운동을 해요.' 판서)
- 이 사람은 언제 영화를 봐요? (화요일에 영화를 봐요.) 화요일마다 영화를 봐요? (달력을 짚으면서) 하나, 둘, … 화요일에 다 영화를 봐요? (아니요.) 그럼 '화요일마다 영화를 봐요.' 아니에요.

☆ '마다'는 시간 명사 외에도 '-(으)ㄹ 때'와 함께 사용할 수 있다.
- 형태: 명사와 결합하며 받침 유무에 관계없이 '마다'를 쓴다.
- 확장: 관용적으로 '밤이면 밤마다', '날이면 날마다'와 같은 표현이 쓰인다. '날마다'의 경우 [더하기 활동 교재] '문법 1'에서 제시되고 있으나, 2A 3과 이전에 '-(으)면'이 제시되지 않았으므로 '날이면 날마다'와 같은 표현까지는 제시하지 않도록 주의한다.
- 추가 예문
  주말마다 등산을 해요.
  아침마다 커피를 마셔요.
  저녁마다 공원에서 산책을 해요.
  시간이 있을 때마다 텔레비전을 봐요.

문법 2	-(으)ㄹ 때	33쪽

□ **도입**

33쪽 (책의 오른쪽 인물을 가리키며)
이 사람은 지금 뭐 해요? (음악을 들어요.) 맞아요. 이 사람은 지금 지하철에 있어요. 출근해요. 음악을 들어요. 퇴근해요. 음악을 들어요.
('가' 문장을 가리키며) 한 사람이 질문해요. '언제 음악을 들어요?' ('나'를 가리키며) 이 사람이 말해요. 읽으세요.
→ 저는 보통 출퇴근할 때 음악을 들어요.

□ **설명**

- 의미: 동사나 형용사와 결합하여 어떤 행위나 상황이 발생한 시간상의 순간이나 지속되는 동안을 이야기할 때 사용한다.

> (도입에서 연결한다.)
> - 맞아요. ('출퇴근하다'와 '음악을 들어요.' 판서) 출근해요. ('출퇴근하다' 중 '출'에 표시) 그 시간에 음악을 들어요. ('음악을 들어요.'에 밑줄) 퇴근해요. ('출퇴근하다' 중 '퇴'에 표시) 그 시간에 음악을 들어요. ('음악을 들어요.'에 밑줄) 출퇴근할 때 음악을 들어요. ('출퇴근하다'를 '출퇴근할 때'로 고쳐서 판서)
> - 여러분, 텔레비전을 봐요? (네. / 아니요.) ('네'라고 대답한 학생을 가리키며) 언제 텔레비전을 봐요? (저녁을 먹어요.) 아, ○○ 씨는 저녁을 먹어요. 그때 텔레비전을 봐요. ('저녁을 먹다', '텔레비전을 봐요.' 판서) 저녁을 먹을 때 텔레비전을 봐요. ('먹다'를 '먹을 때'로 고쳐서 판서)

- 형태

동사, 형용사	
받침 ○ -을 때 먹을 때, 읽을 때, 재미있을 때 받침 × -ㄹ 때 출퇴근할 때, 잘 때, 아플 때	탈락 / 불규칙 • 만들다 → 만들 때 • 듣다 → 들을 때 (규칙: 받다 → 받을 때) • 춥다 → 추울 때 (규칙: 잡다 → 잡을 때)

☆ 어떤 행동이 완료된 순간을 이야기할 때는 '-았/었-'과 결합하여 사용할 수 있다. 이와 관련한 예문으로는 '문법 2'의 1번 문항 2) ('학교에 늦었을 때 택시를 타요.')를 제시하였다.

- 확장:

① '(시간을 나타내는) 명사+때'의 구성으로 쓰기도 하나, '방학', '학생', '휴가'와 같은 일부 명사와만 결합한다. '주말', '요일', '주', '오전', '오후', '시' 등의 명사는 '때'가 아니라 부사격 조사 '에'와 함께 사용된다.

예 방학 때 아르바이트를 했어요. / 이번 휴가 때 서울에 갈 거예요.
주말 때 아르바이트를 했어요. (×) 주말에 아르바이트를 했어요. (○)

☆ '-(으)ㄹ 때' 뒤에 조사 '마다'가 결합한 형태가 빈번하게 사용된다. 이와 관련해서는 [기본 교재] '문법 2'의 1번 문항 1)을 제시하였다. [더하기 활동 교재] '문법 2'를 통해서도 '마다'와의 결합 형태를 연습할 수 있다.

- 추가 예문

날씨가 좋을 때 공원에 가요.
집에서 쉴 때 행복해요.
일을 할 때 커피를 마셔요.
약속에 늦었을 때 택시를 타요.
시간이 있을 때마다 청소를 해요.

발음	평음, 경음, 격음	34쪽

□ '활동 1'의 발음: 평음(ㅈ), 경음(ㅉ), 격음(ㅊ)의 구분을 연습한다. 격음의 경우 가벼운 티슈를 입 앞에 대고 발음하여 학생들로 하여금 기식에 의해 티슈가 흔들리는 모습을 확인하게 할 수 있다. 소리를 크게 내어 발음할 경우 평음과 경음, 격음의 차이가 잘 나타나지 않으므로 마이크 등을 활용하여 일반적 발성에서의 발음 차이를 들을 수 있게 해 주는 것이 좋다.

□ [기본 교재]에 제시된 문장 외에도 아래 문장으로 더 연습할 수 있다.

예 저는 주말에 청소를 하거나 악기를 연주해요.
어제 저녁에 친구하고 김치찌개를 먹었어요.

활동	저녁 약속 / 약속 정하기	34~35쪽

□ '활동 1'의 2번 문항 3) 대화 예시

가: 안나 씨, 오늘 같이 공원에 가요.
나: 좋아요. 몇 시에 어디에서 만날까요?
가: 오후 2시쯤에 학교 앞에서 만나요.
나: 네. 그럼 수업 후에 전화 주세요.

□ '활동 2'의 쓰기 과제를 원활하게 수행하기 위해서는 교사가 학생들 사이에서 주고받아야 하는 정보(함께 해야 하는 과제의 종류, 각자의 일정 등)를 미리 정한 후 이를 활동지에 적어 배부하는 것이 좋다. 학생들은 이를 통해 정보 차 활동을 수행할 수 있다. 배부할 활동지의 예시는 다음과 같다. (× 표시한 자리에는 '아르바이트, 친구 만나기' 등의 일정을 넣는다.)

A학생

- 숙제: 발표 준비하기
- 스케줄:

월	화	수	목	금	토	일
×	×				×	×

B학생

- 숙제: 발표 준비하기
- 스케줄:

월	화	수	목	금	토	일
×		×				×

짝 활동 시 실제 문자 메시지를 주고받게 할 경우 연락처 교환과 관련한 문제가 발생할 수 있다. 이때는 이미 연락처를 알고 있는 학생들을 짝으로 묶는 방법, 또는 하나의 종이에 번갈아 메시지를 쓰며 필담을 나누게 하는 방법 등으로 운영할 수 있다. 짝 활동이 종료된 후에 주고받은 메시지의 내용에 대해 쓰기 피드백을 주도록 한다.

청바지에다가 티셔츠를 입으려고 해요

어휘와 표현	옷차림	39쪽

□ '어휘와 표현' 1번 문항에는 1급에서 배운 관련 어휘와 새 어휘가 함께 제시되어 있다. 먼저 학생들이 옷과 관련된 명사를 어느 정도 알고 있는지 묻고 대답한 후, 학생들이 모르는 어휘에 대해 그 의미를 제시한다.

□ '어휘와 표현' 2번 문항의 탈착 동사는 1번 어휘에 대한 이해 확인과 교수가 모두 완료된 후 제시한다.

□ '어휘와 표현' 1, 2 문항의 어휘들은 다양한 색의 상자 안에 분류되어 있다. 1번 문항의 명사들은 동일한 배경색의 칸 아래 적힌 탈착동사들과 함께 사용된다. (예: 분홍색 상자 안에 표시된 1번 문항의 '모자'와 분홍색 상자 아래에 적힌 2번 문항의 '쓰다'라는 동사가 함께 사용되어 '모자를 써요.'라는 문장을 만든다.) 이러한 정보를 통해 학습자들이 각 명사와 함께 쓰이는 탈착 동사를 유추하여 문장을 만들어 보도록 할 수 있다.

□ '어휘와 표현' 3번 문항에서는 학습자들이 '모자와 티셔츠를 입고 있어요.'와 같은 비문을 사용하지 않도록 주의하여 교수한다.

문법 1	-기로 하다	40쪽

□ **도입**

(왼쪽 그림을 가리키며)
두 사람이 지금 뭐 해요? (약속해요.) 뭘 약속했어요? (오늘 저녁에 만나요.) 네. 맞아요.

(오른쪽 그림을 가리키며)
남자가 친구하고 이야기해요.
→ 오늘 저녁에 여자 친구를 만나기로 했어요.

□ **설명**

- 의미: 동사와 결합하여 앞의 말이 나타내는 행동을 결심하거나 약속했다고 이야기할 때 사용한다. 이미 결정한 것을 이야기하면서 사용될 때는 미래의 일일지라도 과거형으로 쓴다.
  - 예 저는 내일 친구하고 만나기로 했어요. (○)/저는 내일 친구하고 만나기로 해요. (×)

- (지각한 학생을 향해서) ○○ 씨, 내일 일찍 오세요. ('내일 일찍 오다' 판서하면서) 약속해요? (네. 약속해요.) 여러분, ○○ 씨가 선생님하고 약속했어요. '내일 일찍 오기로 했어요.' (판서)
- 여러분, 오늘 저녁에 약속이 있어요? (네. / 아니요.) ('네'라고 대답한 학생을 향해서) △△ 씨, 저녁에 누구를 만나요? (×× 씨요.) △△ 씨는 저녁에 ×× 씨를 만나기로 했어요. △△ 씨, ×× 씨하고 밥을 먹을 거예요? (네.) △△ 씨는 저녁에 '×× 씨하고 밥을 먹기로 했어요.' (판서)

☆ 약속이 이루어지는 대화 상황에서는 다음의 예문과 같이 '-기로 해요' 형태도 사용할 수 있으나, 세종한국어 2권 4과에서는 '-기로 했어요' 형태만 제시한다.
  예 가: 오늘 어디에서 만날까요?/나: 수업 후에 교실 앞에서 만나기로 해요.

- 형태: 동사와 결합하며 받침 유무에 관계없이 '-기로 하다'를 쓴다.
- 확장:
  ① 부정문은 '-지 않기로 하다', '안 -기로 하다'로 쓴다. '안 -기로 하다'는 주로 구어에서 사용한다. 그러나 2급 A 4과 이전에 '-지 않다'를 학습하지 않았으므로 부정 표현은 단형 부정만을 제시하도록 주의한다.
  예 게임을 안 하기로 했어요./드라마를 안 보기로 했어요.
  ② '-기로 하지 않다', '-기로 안 하다'는 '하다'를 부정하므로 결정하거나 약속하는 행위 자체를 부정하는 의미에 가깝다.
  예 게임을 하기로 안 했어요./드라마를 보기로 안 했어요.
- 제약:
  ① '-기' 앞에 '-았/었-'이 결합하지 않는다.
  예 공부를 열심히 하기로 했다. (○)/운동을 열심히 했기로 했다. (×)
  ② 형용사와 결합하지 않는다.
  예 다음에는 재미있기로 해요. (×)
- 추가 예문
  내일부터 운동하기로 했어요.
  이제 구두는 안 신기로 했어요.

오늘 저녁은 뭐 만들기로 했어요?
우리 매일 집에 같이 가기로 해요.

문법 2 | 에다가 | 41쪽

□ **도입**

41쪽 ('가' 예문을 가리키며) '가'는 내일 회의가 있어요. 뭘 입을까요? 질문해요. (예문 오른쪽의 정장과 구두를 가리키며) '나'가 뭐 입으세요. 말했어요? (정장이요. / 구두요.)
(정장, 구두 판서) 정장을 입으세요. 그리고 구두를 신으세요. ('나' 예문을 가리키며) 이때 말해요.
→ 정장에다가 구두를 신으세요.

□ **설명**

- 의미: 명사와 결합하여 어떤 것에 다른 것이 더해진다고 이야기할 때 사용한다. '에다가' 대신 '에' 혹은 '에다'를 사용할 수도 있다. '에다가'와 그 축약형인 '에다'는 '에'와 다르게 주로 구어에서 사용된다. 기본 교재에서는 이러한 의미('에다가1')에 초점을 맞추어 예문을 제시하고 있다.

(원피스를 입고 구두를 신은 인물의 사진을 보여 주거나 칠판에 그린다.)
• 이 사람은 지금 뭘 입었어요? (원피스요.) 뭘 신었어요? (구두요.) 이 사람은 지금 '원피스를 입었어요'. (판서) 그리고 '구두를 신었어요'. (판서) '원피스에다가 구두를 신었어요.' ('를 입었어요'를 지우고 그 자리에 '에다가' 판서)
(청바지와 티셔츠를 입고 운동화를 신은 인물의 사진을 보여 주거나 칠판에 그린다.)
• 이 사람은 지금 뭘 입었어요? (청바지하고 티셔츠를 입었어요.) ('청바지하고 티셔츠를 입었어요' 판서) 뭘 신었어요? (운동화를 신었어요.) ('운동화를 신었어요.' 판서) 이 사람은 청바지하고 티셔츠에다가 운동화를 신었어요. ('를 입었어요'를 지우고 그 자리에 '에다가' 판서)

☆ '에다가'는 위의 의미 외에도 '(명사에 붙어) 일정한 장소를 나타내거나 어떤 행위를 받는 위치를 나타내는 의미'로 구분되기도 한다('에다가2'). 더하기 활동 문법 1의 2)에서 '에다가2'의 의미를 가진 예문을 제시하고 있다.

☆ '에다가1'과 '에다가2'의 의미에서는 뚜렷한 차이를 느끼기 어렵다. 단, '에다가1'의 의미로 사용될 때는 앞뒤 명사를 바꿔 써도 전체 문장의 내용이 바뀌지 않는 데 반해, '에다가2'의 의미로 사용된 경우 앞뒤 명사를 바꿔 쓰기 어렵다는 점에서 차이를 확인할 수 있다.
예 커피에다가 설탕을 넣었어요. (○) / 설탕에다가 커피를 넣었어요. (×)

본 교재에서는 2A 4과의 주제상 다음과 같은 문장이 사용되는 경우를 고려하여 '에다가2'의 의미로 사용된 문장을 완전히 배제하지 않고 함께 제시했다.
예 코트에다가 목도리를 해요 (○) / 목도리에다가 코트를 입어요. (×)
학생들이 '에다가1'을 쉽게 이해하고 수업 시간에 여유가 있을 경우, 혹은 학생들의 질문이 있을 경우 다음과 같은 도입을 통해 '에다가2'의 의미까지 명시적으로 확장해 교수할 수 있다. 그러나 '에다가1'의 이해와 연습이 충분히 이루어지지 않은 상태에서 '에다가2'의 의미를 명시적으로 제시하지 않도록 주의한다.

(다음의 설명과 함께 커피에 설탕을 넣는 모습을 단계적으로 보여 준다. 교사가 직접 보여 주기 어려울 경우 짧은 영상 등을 찾아 보여 줄 수 있다.)
• (커피잔을 들어 보이며) 이게 뭐예요? (커피요.) (설탕을 들어 보이며) 이거는 뭐예요? (몰라요.) 이거는 설탕이에요. (커피잔에 설탕을 넣고 저은 후 마신다.) 선생님이 뭐 했어요? (커피에 설탕을 넣었어요. 그리고 마셨어요.) '커피에 설탕을 넣어서 마셨어요.' (판서) '커피에다가 설탕을 넣어서 마셨어요.' ('에'를 '에다가'로 수정)
(다음과 같이 학생들의 정보를 바탕으로 도입할 수도 있다.)
• ○○ 씨, 지갑이 어디에 있어요? (가방에 있어요.) 아, 지갑을 가방에다가 넣었어요?

- 형태: 명사와 결합하며 받침 유무에 관계없이 '에다가'를 쓴다.
- 확장: 상황에 대한 범위를 한정할 때는 '에다가'를 '까지'와 함께 사용할 수 있다. 2A 4과에서는 이와 관련된 예문이 제시되지 않는다.
  예 밥에다가 케이크까지 먹어서 배가 불러요. / 아르바이트에다가 공부까지 해서 너무 힘들어요.
- 제약: '에다가'로 연결되는 두 명사는 '옷과 구두, 빵과 우유'처럼 서로 연관된 것이어야 한다.
- 추가 예문
  쉬는 시간에 칠판에다가 그림을 그렸어요.
  책상 위에다가 가방을 놓았어요.
  저는 홍차에다가 우유하고 설탕을 많이 넣어서 마셔요.
  매일 학교 수업에다가 아르바이트까지 해야 해요.

활동 | 인터넷 쇼핑 / 소개팅 | 42~43쪽

□ '활동 1'의 2번 3) 대화 예시
가: 안나 씨, 지금 뭐 해요?
나: 옷을 고르고 있어요.
가: 어디 가요?
나: 네. 친구하고 공원에 가기로 했어요.

가: 어떤 옷을 입을 거예요?
나: 티셔츠에다가 청바지를 입고 모자를 쓰려고 해요.

□ '활동 2'의 읽기 자료 내용은 실제 설문 조사 결과이기는 하나, 이러한 결과를 모든 남녀의 일반적 경향이라고 단정하여 이야기를 나누지 않도록 주의한다.

□ '활동 2'의 쓰기는 인터뷰 짝 활동으로 활용할 수 있다. 인터뷰와 쓰기 활동이 끝난 후에는 교사가 모든 학생들의 응답 결과를 종합하여 1에서 제시된 것과 같은 간단한 통계 결과를 내서 이에 관한 추가적 말하기 활동을 수행할 수 있다. (예: '우리 반 친구 00%는 데이트를 할 때 ○○을/를 입어요. 왜요? 그리고 왜 ○○을/를 입는 여자나 남자를 좋아해요?')

더하기 활동 | 18쪽, 2번

□ 2번 문항에서 한국 사람들의 상황에 따른 옷차림을 이야기한 후에는 자국의 상황에 따른 옷차림을 이야기하는 연습으로 확장할 수 있다.

거실 창문이 커서 경치를 구경하기가 좋아요

어휘와 표현	집	47쪽

□ '어휘와 표현' 1번 문항의 어휘들은 반의어의 쌍으로 구성되어 있다. 학생들이 이러한 의미 관계를 잘 이해할 수 있도록 반의어 쌍을 묶어 그 의미를 지도한다.

□ '어휘와 표현' 1, 2 문항의 경우 제시된 그림이 나타내는 집의 상태에 대해 학생들의 판단이 다를 수 있다. 먼저 사진으로 제시된 각 집의 상태에 대해 어떤 표현을 사용할 수 있는지 학생들과 간단히 이야기를 나눈 후 문제 풀이 활동에 들어가는 것이 좋다.

문법 1	-기가 좋다	48쪽

□ **도입**

48쪽
여러분, 집 창문이 커요. 그럼 뭐가 좋아요? (시원해요. / 밖을 구경해요. / 경치를 볼 수 있어요.) 친구가 '나'의 집에 왔어요. 창문을 봐요. 그리고 말해요. '와, 창문이 정말 커요!' '나'가 말해요.
→ 네. 그래서 경치를 구경하기가 좋아요.

□ **설명**

(도입에서 연결한다.)
창문이 커요. 경치를 구경해요. ('경치를 구경하다' 판서)

잘할 수 있어요. 편해요. 경치를 구경하기가 좋아요. ('구경하다'를 '구경하기가 좋아요.'로 수정)
여러분, 집이 넓어요. 그럼 뭐가 편해요? 뭘 잘할 수 있어요? (청소요. / 운동이요.) ('청소하다, 운동하다' 판서) 맞아요. 청소하기가 편해요('청소하다'를 '청소하기가 편하다'로 수정). 그리고 운동하기가 편해요. ('운동하다'를 '운동하기가 편하다'로 수정)

☆ '-기가 좋다'는 서술어를 다양하게 교체해서 사용할 수 있다. 4A 5과에서 이러한 다양한 서술어와의 결합형('-기가 쉽다, 어렵다, 힘들다')이 교수되므로 2A 5과에서는 '-기가 좋다'와 '-기가 안 좋다'의 형태만 제한적으로 제시하였다.

- 형태:
  ① 동사와 결합하며 동사 어간 끝음절의 받침 유무에 관계없이 '-기'의 형태로 결합한다.
  ② '-기가 좋다'는 '가'를 생략한 형태인 '-기 좋다'로도 사용된다.
- 추가 예문
  그 가수 노래는 정말 듣기가 좋아요.
  제 방은 조용해서 쉬기 좋아요.
  집에 짐이 많이 없어서 청소하기가 좋아요.
  집 근처에 공원이 있어서 산책하기가 좋아요.

문법 2	-지 않다, -지 못하다	49쪽

□ 도입

49쪽 (왼쪽 예문을 가리키면서) 여러분, 읽으세요. (저는 청소하는 것을 싫어해요. 그래서 청소를 하지 않아요.) (왼쪽 그림을 가리키면서) 이 사람이 청소를 해요? (아니요. / 안 해요.) 왜 청소를 안 해요? (청소하는 것을 싫어해요.) 맞아요. → 청소하는 것을 싫어해서 청소를 하지 않아요. ('청소를 하지 않아요.' 판서)	49쪽 (오른쪽 예문을 가리키면서) 여러분, 읽으세요. (일이 많아서 시간이 없어요. 그래서 청소를 하지 못해요.) (오른쪽 그림을 가리키면서) 이 사람이 청소를 해요? (아니요. / 안 해요.) 왜요? 청소하는 것을 싫어해요? (아니요. 일이 많아요. 시간이 없어요.) 맞아요. 이 사람은 청소를 하고 싶어요. 그런데 청소를 못 해요. → 청소를 하지 못해요. ('청소를 하지 못해요.' 판서)

□ 설명

- 의미 1: -지 않다'는 보통 동사와 결합할 경우 행위를 할 의지가 없음(①), 어떤 행위가 일어나지 않음(②), 형용사와 결합하여 어떤 상태가 아님을 의미한다(③).
- 의미 2: '-지 못하다'는 동사와만 결합해서 사용되며, 어떤 일을 할 능력이나 여건이 되지 않음을 의미한다(①).

① (도입에서 연결한다.)
• 하고 싶어요. 그런데 못 해요. '하지 못해요.' 말해요. 안 하고 싶어요. 그래서 안 해요. '하지 않아요.' 말해요. 어제 저는 떡볶이를 먹고 싶었어요. 그런데 배가 아팠어요. '떡볶이를 먹지 않았어요.'예요? '먹지 못했어요'예요? (떡볶이를 먹지 못했어요.) 맞아요.
• 저는 떡볶이를 먹을 수 있어요. 그런데 어제는 김밥을 먹고 싶었어요. '떡볶이를 먹지 않았어요.'예요? '먹지 못했어요'예요? ('-지 않아요'예요.) 맞아요. '어제는 떡볶이를 먹지 않았어요.' (판서)
② 여러분, 우리 지금 영화를 봐요? (아니요, 영화를 안 봐요.) 맞아요. 우리는 지금 영화를 안 봐요. '영화를 보지 않아요.' (판서)
③ (교실 크기가 넓지도 좁지도 않을 경우) 여러분, 우리 교실이 넓어요? 좁아요? (좁아요. / 넓어요. / 모르겠어요.) 이때 말해요. '교실이 좁지 않아요.' '교실이 넓지 않아요.' (다음과 같이 판서한다.)

넓다 — 넓지 않아요. / 좁지 않아요. — 좁다

☆ 1A 8과(안), 1B 1과(못)에서 단형 부정을 이미 배웠으므로 '안'과 '못' 부정에 각각 '-지 않다'와 '-지 못하다'를 대응시켜 그 의미를 좀 더 쉽게 설명할 수 있다.

☆ 위의 ③은 학생들의 이해 정도에 따라 제시한다. 교실의 넓이에 대해 말하기 어려울 경우, '깨끗하다-지저분하다, 밝다-어둡다' 등으로 유사한 설명을 제공할 수 있다.

- 형태:
  ① 동사 및 형용사 어간 끝음절의 받침 유무에 관계없이 '-지 않다'를 쓴다.
  ② 동사 어간 끝음절의 받침 유무에 관계없이 '-지 못하다'를 쓴다.
- 확장: ① -'지 않다'
- '않다'에 과거 '-었-'이 결합한다.
  예 밥을 먹지 않았어요. (○) 밥을 먹었지 않아요. (×)
- 주어의 의지와 상관없이 저절로 상황을 인지하게 됨을 나타내므로 인지 동사와 결합하지 않는다.
  예 그 일을 알지 않았어요. (×) 그 일을 알지 못했어요. (○)
- 명령문과 청유문에는 '-지 않다' 대신 '-지 말다'를 쓴다.
  예 약속에 늦지 않으세요. (×) 약속에 늦지 마세요. (○)
- '이다/아니다, 있다/없다, 알다/모르다'와 같이 부정어가 따로 있는 경우에 '안'을 사용할 수 없다.
  예 나는 학생이지 않다. (×) 나는 학생이 아니다. (○)
- 추가 예문
  저는 고기를 먹지 않아요.

언니는 일찍 자지 않아요.
점심을 많이 먹어서 배가 고프지 않았어요.
오늘은 지하철에 사람이 많지 않아요.

동생은 한글을 읽지 못해요.
저는 술을 마시지 못해요.
일이 많아서 일찍 집에 가지 못해요.
늦게 일어나서 약속을 지키지 못했어요.

발음	겹받침 ㄺ	50쪽

□ 겹받침 'ㄺ'은 종성에서 [ㄱ]으로 발음하는 것이 원칙이다. (예: 닭[닥]) 단, 동사나 형용사 어간 끝음절의 겹받침 'ㄺ'은 'ㄱ' 앞에서 'ㄱ'이 탈락하며(예: 밝고[발꼬]), 이외의 자음이 올 때에는 'ㄹ'이 탈락한다. (예: 밝다[박따]) 뒤에 모음이 올 경우에는 'ㄹ'과 'ㄱ'을 모두 발음한다. (예: 밝은[발근])

□ [기본 교재]에 제시된 문장 외에도 아래 문장으로 더 연습할 수 있다.

예 주말에는 보통 책을 읽어요./카페에서 책을 읽거나 음악을 들어요.
안나 씨는 책을 자주 읽지만 마리 씨는 책을 자주 안 읽어요.

□ 기학습 어휘에서 겹받침 ㄺ이 다양하게 제시되지 않았으므로 '밝다'나 '읽다'만을 예시로 삼아 간단하게 연습한다. 이외의 어휘(맑다, 늙다' 등)를 추가로 제시하며 연습할 경우 그 의미에 대해서도 함께 교수하여야 한다.

활동	새집 이야기/집 소개	50~51쪽

□ '활동 1'의 2번 3) 대화 예시:
가: ○○ 씨 방이 어때요?
나: 짐이 적어서 청소하기 좋아요.
가: 방이 넓어요?
나: 아니요. 넓지 않아요.

□ 인터넷과 관련 기기 등이 갖춰져 있는 환경에서는 온라인상에서 쓰기 활동을 할 수 있다. 이 경우 학생의 포털 사이트 기본 블로그에 집 소개 글을 올리고, 직접 그림을 그리는 대신 집의 모습과 유사한 사진을 첨부하도록 할 수 있다. 이때 학생들이 사적인 정보를 공개하는 것을 부담스러워 하는 경우 '살고 싶은 집'의 사진을 활용하여 글을 쓰게 할 수도 있다. 글의 게시가 끝난 후, 교사는 해당 글을 확인하고 수정 사항 피드백을 제공한다. 이를 반영하여 게시물을 수정하는 것으로 활동을 마무리한다. 친구의 블로그를 방문해 글을 읽고 '좋아요'나 댓글을 남기는 활동을 추가로 수행할 수 있다.

커피를 마시면서 음악을 들어요

어휘와 표현	장소와 물건	55쪽

□ 6과의 주제인 '좋아하는 장소 소개'와 관련된 명사와 표현을 제시하였다. 본 과에서 제시되는 명사의 목록에는 1급에서 배운 어휘와 외래어가 다수 포함되어 있으므로 다른 과에 비해 상대적으로 어휘 교수의 부담이 적을 수 있다. 이 경우 1, 3 문항의 그림을 바탕으로 물건을 가리키는 어휘(예: 휴지통, 거울, 액자 등)를 확장해 제시한다.

□ '어휘와 표현' 1번 문항의 명사 학습 후에는 제시된 그림 정보를 바탕으로 2번 문항의 '놓여 있다'와 '걸려 있다'를 활용하여 장소를 묘사하는 문장을 구성해 보도록 지도한다. 이때 '놓이다'와 '걸리다', '-아/어 있다'는 2A 6과 이전에 교수되지 않은 어휘와 문형이므로 언어 단위별로 분석하지 않고 한 덩어리의 표현으로서 가르친다.

문법 1	-(으)면서	56쪽

□ **도입**

> 56쪽
> 여러분, (문법 1 도입 그림을 가리키면서) 이 사람을 보세요. 민호 씨예요. 민호 씨가 지금 뭐 하고 있어요? (커피를 마셔요./책을 봐요./책을 읽어요.) 맞아요. 민호 씨는 지금 커피를 마셔요. 책을 읽어요. 둘을 같이 해요. (책을 읽으면서 음료를 마시는 동작을 취하며 이야기한다.)

→ 커피를 마시면서 책을 읽어요, 책을 읽으면서 커피를 마셔요.

□ **설명**

- 의미: 두 가지 이상의 행동을 동시에 하고 있음을 나타낸다.

(도입에서 연결한다.)

- (‘커피를 마시다, 책을 읽다’를 판서한다.) 민호 씨가 커피를 마시고 책을 읽어요? 책을 읽고 커피를 마셔요? (아니요. 같이 해요.) 네. 같이 해요. ‘커피를 마시면서 책을 읽어요’. (앞서 판서한 ‘마시다’의 ‘다’를 지우고 그 자리에 ‘면서’를 쓴다.) ‘책을 읽으면서 커피를 마셔요.’ (이야기한 문장을 판서한다.)
- 여러분, 집에서 밥을 먹을 때 뭐 해요? (이야기를 해요. / TV를 봐요.) ○○ 씨는 이야기를 하면서 밥을 먹어요. △△ 씨는 TV를 보면서 밥을 먹어요.

- 형태:

동사	
받침 ○ -으면서 읽으면서, 먹으면서, 찍으면서 받침 × -면서 마시면서, 보면서, 청소하면서	탈락 / 불규칙 • 만들다 → 만들면서 • 듣다 → 들으면서 (규칙: 받다 → 받으면서) • 돕다 → 도우면서 (규칙: 잡다 → 잡으면서)

- 제약:

① 앞 절과 뒤 절의 주어는 반드시 같아야 하며, 뒤 절의 주어는 보통 생략한다.

예 나는 텔레비전을 보면서 동생은 숙제를 해요. (×)
나는 텔레비전을 보고 동생은 숙제를 해요. (○)
나는 텔레비전을 보면서 (나는) 숙제를 해요. (○)

② ‘-았/었-’과 결합하지 않는다.

예 나는 영화를 봤으면서 콜라를 마셨어요. (×)
나는 영화를 보면서 콜라를 마셨어요. (○)

앞 절의 행동이 뒤 절의 행동보다 먼저 일어났으며 앞과 뒤의 행동이 서로 자연스럽게 연결되지 않거나 상반되는 관계에 있음을 나타낼 때는 예외적으로 ‘-았/었-’이 결합할 수 있다. 그러나 이때의 ‘-(으)면서’는 동시 상황을 뜻하지 않는다.

예 마리 씨는 아침에 라면을 먹었으면서 점심에도 라면을 먹었어요.

- 추가 예문

저녁을 먹으면서 스포츠 경기를 봐요.
샤워하면서 노래해요.
출근하면서 음악을 들어요.
여행을 하면서 풍경 사진을 찍어요.

더하기 활동 | 27쪽, 1번

□ 정보 차이 짝 활동으로 진행한다. 이 활동은 학생 두 명이 한 팀을 이루어서 한 학생은 카드 A의 정보를 바탕으로, 한 학생은 카드 B의 정보를 바탕으로 묻고 대답하여 카드의 빈칸 정보를 모두 찾아내는 방식으로 수행한다. 이러한 정보 차 활동을 통해 ‘-(으)면서’를 연습할 때는 학생들이 질문과 응답에 사용되는 문장의 구조에 어려움을 느낄 수 있다. 반드시 복문 구조의 보기 문장(‘저기 웃으면서 전화하는 사람 알아요?’)과 이 문장들이 사용되는 대화 상황(여러 인물 사이에서 한 명을 구체적으로 가리키기 위해 그의 행동을 묘사하는 상황)에 대한 학생들의 이해를 확인한 후에 활동을 진행해야 한다.

문법 2 | -지요? | 57쪽

□ **도입**

57쪽

여러분, (문법 2 도입 그림 중 왼쪽을 가리키면서) 그림을 보세요. 두 사람이 이야기해요. (문법 2 왼쪽 그림 중 말풍선 안의 인물을 가리키면서) 주노 씨 이야기를 해요. (문법 2 왼쪽 그림 중 말풍선이 연결된 인물을 가리키면서) 이 사람이 말해요. ‘주노 씨는 한국 드라마를 좋아해요.’ (문법 2 왼쪽 그림 중 이야기를 듣고 있는 인물을 가리키면서) 이 사람이 들었어요. ‘주노 씨는 한국 드라마를 좋아해요.’ (문법 2 도입 그림 중 오른쪽을 가리키면서) 그리고 이 사람이 주노 씨를 만났어요. ‘정말 한국 드라마를 좋아해요?’ 알고 싶어요. 주노 씨 에게 이야기해요. ‘주노 씨는 한국 드라마를 좋아해요, 맞아요?’

→ 주노 씨는 한국 드라마를 좋아하지요?

□ **설명**

- 의미: 화자가 이미 알고 있는 사실을 청자에게 재확인하며 질문하고 있음을 의미하는 종결어미다.

(도입에서 연결한다.)

(‘주노 씨는 한국 드라마를 좋아하다’를 판서) ‘주노 씨는 한국 드라마를 좋아해요.’ 들었어요. 정말이에요? 알고 싶어요. 그때 말해요. 주노 씨는 한국 드라마를 좋아하지요?’ (‘좋아하다’의 ‘다’를 지우고 그 자리에 ‘지요?’를 판서)

- (다음의 예시를 참고하여 교사가 알고 있는 학생들의 정보를 두세 가지 재확인할 수 있다.)

△△ 씨는 ○에 살지요? ('살지요?' 판서)

(네. / 아니요.)

☆☆ 씨는 아침마다 ○을/를 먹지요? ('먹지요' 판서)

(네. / 아니요.)

×× 씨는 ○에 다니지요? ('다니지요?' 판서)

(네. / 아니요.)

○○ 씨, 어제 숙제를 했지요? ('했지요?' 판서)

(네. / 아니요.)

☆☆ 씨 어제 좀 아팠지요? ('아팠지요?' 판서)

(네. / 아니요.)

☆☆ 씨는 학생이지요? ('학생이지요?' 판서)

(네. / 아니요.)

×× 씨는 프로그래머지요? ('프로그래머지요?' 판서)

(네. / 아니요.)

• (다음의 예시를 참고하여 모두가 공유하고 있는 정보를 재확인할 수 있다.)

오늘 날씨가 좋지요? / 따뜻하지요? / 춥지요? / 비가 왔지요? (네. / 아니요.)

어제 날씨가 좋았지요? / 따뜻했지요? / 추웠지요? / 따뜻했지요? (네. / 아니요.)

• (다음의 예시를 참고하여 유명인의 정보를 재확인할 수 있다.)

(칠판에 학생들이 좋아하거나 잘 아는 유명인의 사진을 붙인다. 이 사람이 가수일 경우 다음과 같은 예문을 유도할 수 있다.) 저는 이 사람을 잘 몰라요. 이 사람은 ○○ 씨예요. 맞아요? 이 사람은 ○○ 씨지요? ('○○ 씨지요?' 판서) (네. ○○ 씨예요.) ○○ 씨는 노래를 잘하지요? ('잘하지요?' 판서) (네. 노래를 잘해요.)

☆ 제시 단계의 주제는 위의 예시를 참조하여 교실 상황에 맞게 선택할 수 있다. 동사와 형용사, '-았/었-'과의 결합형이 고르게 유도될 수 있는 주제를 선택하도록 한다.

☆ 6과에서 교수하는 '-지요?'는 서술에서 사용되는 '-지요'와 구별된다. 학생들이 '-지요?'를 응답에서 사용하지 않도록 주의한다.

☆ '-지요?'는 '-죠'의 형태로 축약해서 사용할 수 있음을 알려 준다.

- 형태:

① 동사 및 형용사 어간 끝음절의 받침 유무에 관계없이 동일한 형태로 쓴다.

② '이다, 아니다'는 '-지요?'를 쓰지만, '이다' 앞의 명사에 받침이 있을 때는 '이지요?'를 쓰고, 받침이 없을 때는 일반적으로 '명사+-지요?'라고 쓴다.

예 이름이 김미나지요?/미나 씨는 미국 사람이 아니지요?

- 추가 예문

가: 한국어 공부가 재미있지요?

나: 네. 정말 재미있어요.

가: 이 음식 정말 맛있죠?

나: 네. 그런데 조금 매워요.

가: 공연이 9시부터죠?

나: 네. 맞아요.

활동	자주 가는 장소 / 좋아하는 장소	58 ~ 59쪽

□ '활동 1'의 2번 3) 대화 예시

가: 재민 씨는 어디에 자주 가요?

나: 저는 시간이 있을 때마다 친구 집에 가요.

가: 친구 집에서 뭐 해요?

나: 친구하고 한국 드라마를 보면서 이야기해요.

□ 인터넷과 관련 기기가 갖춰져 있는 환경에서는 온라인 쓰기 활동을 할 수 있다. 6과 '활동 2'의 경우 학생의 포털 사이트 기본 블로그에 자주 가는 장소를 소개하는 글을 올리고 그 장소의 사진을 첨부하도록 할 수 있다. 글의 게시가 끝난 후 교사는 해당 글을 확인하고 수정 사항 피드백을 제공한다. 이를 반영하여 게시물을 수정하는 것으로 활동을 마무리한다. 친구의 블로그를 방문해 글을 읽고 좋아요나 댓글을 남기는 활동을 추가로 수행할 수 있다.

스트레스를 받으면 가슴이 답답해요

어휘와 표현	스트레스 증상	63쪽

□ 스트레스 받을 때 나타나는 증상으로 다음 표현을 추가하여 제시할 수 있다.
예 입맛이 없다, 쉽게 짜증이 나다

문법 1	-(으)면	64쪽

□ 본 단원의 문법(-(으)면, ㅅ 불규칙)은 교수 부담이 다소 높은 항목이므로 다른 단원에 비해 교수·학습 시간이 더 필요할 수 있다. 'ㅅ 불규칙'은 학습자들에게 형태 학습 부담이 클 수 있으므로 수업 시간에 모든 형태를 익히려고 하기보다는 실생활 속 사용을 통해 자연스럽게 익힐 수 있다고 설명하여 심리적 부담을 덜어 주는 것이 필요하다. 또한 불규칙 변화형에 따른 다양한 예를 제시하고 충분히 연습할 수 있도록 하는 것이 좋다.

□ **도입**

64쪽 (손가락으로 그림 속 남자를 가리키며)
'이 남자는 주말에 보통 뭐 해요?'
왼쪽 그림을 보세요.
날씨가 어때요? (날씨가 좋아요.)
남자가 뭐 해요? (산에 가요, 등산해요.)
네. 날씨가 좋아요. 그러면 산에 가요.
→ (칠판에 판서) 날씨가 좋으면 산에 가요.

오른쪽 그림을 보세요.
날씨가 어때요? (안 좋아요, 흐려요.)
이 남자는 뭐 해요? (집에서 쉬어요.)
네. 날씨가 안 좋아요. 그러면 집에서 쉬어요.
→ (칠판에 판서) 날씨가 안 좋으면 집에서 쉬어요.

□ **설명**

- 의미: 동사나 형용사와 결합하며 뒤 절의 내용이 일어나기 위한 근거나 상황에 대한 조건을 말할 때 사용한다. 확실하지 않거나 아직 이루어지지 않은 사실을 가정하여 말할 때도 사용한다.

• (배가 아주 고픈 듯 배를 잡고) 저는 아침을 안 먹었어요. 밥을 먹고 싶어요. 그런데 지금은 수업 시간이에요. 밥 먹을 수 있어요? (아니요. 안 돼요.) 그럼, 저는 언제 밥 먹을 수 있어요? (수업이 끝난 후에요.) 네. 수업이 끝나요. 그럼 저는 밥을 먹을 수 있어요. 저는 (칠판에 판서) 수업이 끝나면 밥을 먹을 거예요.
• ○○ 씨는 지금 부모님이 너무 보고 싶어요. 고향에 가고 싶어요. 지금 갈 수 있어요? (아니요. 갈 수 없어요.) 언제 갈 수 있어요? (방학이요.) 네. 맞아요. 방학이 돼요. 그럼 ○○ 씨는 고향에 갈 수 있어요. (칠판에 판서) 방학이 되면 고향에 갈 수 있어요.
• 다음 주에 시험이 있어요. 여러분 매일 열심히 공부하고 있어요? (네. / 아니요.) 공부를 열심히 해요. 그럼 시험을 잘 볼 수 있어요. 그런데 공부를 안 해요. 그럼 시험을 잘 볼 수 없을 거예요. 이렇게 어떤 일을 할 수 있게 하거나 못하게 하는 것을 '조건'이라고 해요. 이 조건을 말할 때 '-(으)면'을 사용해요. 열심히 공부하면 시험을 잘 볼 수 있어요. 그런데 공부를 안 하면 시험을 잘 볼 수 없을 거예요.
• 또 여러분에게 1,000만 원이 있어요. 그럼 어떨 거 같아요? (진짜 좋아요. / 행복해요.) 네. 1,000만 원이 있어요. 그럼 뭐 하고 싶어요? (여행을 가고 싶어요. / 부모님께 선물하고 싶어요.) 네. (칠판에 판서) 1,000만 원이 있으면 여행을 가고 싶어요. 1,000만 원이 있으면 부모님께 선물하고 싶어요.
• 이렇게 일어나지 않은 일이나 확실하지 않은 일들이 있어요. 그런데 그런 일이 일어나요. 그럼 어떨 것 같아요? 뭐 할 거예요? 말할 때도 '-(으)면'을 사용해요.

동사 · 형용사	
받침 ○ -으면 읽으면, 먹으면, 좋으면, 많으면 받침 × -면 오면, 만나면, 바쁘면, 행복하면	탈락 / 불규칙 •만들다 → 만들면 •돕다 → 도우면 (규칙: 입다 → 입으면) •듣다 → 들으면 (규칙: 닫다 → 닫으면) •낫다 → 나으면 (규칙: 웃다 → 웃으면)

- 추가 예문
  시간이 없으면 다음에 만나요.
  내일 날씨가 좋으면 산책을 할 거예요.
  저는 커피를 마시면 잠을 못 자요.
  음악을 들으면 마음이 편해요.

더하기 활동 | 31쪽, 2번

□ '-(으)면'을 사용해서 말하는 릴레이 게임을 진행할 수 있다. 교사가 먼저 학생을 지명한다. 그리고 "돈이 많으면 뭐 하고 싶어요?"라고 묻는다. 지명된 학생이 교사에게 "차를 사고 싶어요."라고 대답하면 옆 사람에게 "차를 사면 뭐 할 거예요?"라고 질문하는 방법으로 대화를 이어갈 수 있다. 반 전체 학생이 참여하도록 진행할 수 있다.

문법 2	ㅅ 불규칙	65쪽

□ 도입

65쪽 (교사는 차례로 그림을 가리키며 이야기한다.)
여기 첫 번째 그림을 보세요. 지금 몇 시예요? (밤 10시예요.)
네. 맞아요. 남자가 뭐 하고 있어요? (라면을 먹어요, 스파게티를 먹어요.)
네. 라면을 먹고 10시 반쯤에 남자는 잠을 자요. 많이 자요. 늦잠을 자요.
세 번째 그림을 보세요. 남자가 아침에 일어나서 거울을 봐요. 얼굴이 어때요? (얼굴이 커요.) 네. 얼굴이 커요. 얼굴이 작았어요. 그런데 어젯밤에 라면을 먹고 잤어요. 지금 얼굴이 커요. 이렇게 얼굴이 좀 커졌을 때 (칠판에 쓰면서) '얼굴이 붓다'라고 말하죠? 그런데 '붓었어요'라고 말 안 해요. ('붓다' 아래에 '부었어요'를 쓰면서) '얼굴이 부었어요'라고 말해요.
→ 얼굴이 많이 부었어요.

□ 설명

- 의미: 받침 'ㅅ'으로 끝나는 동사와 형용사 중 '붓다/젓다/짓다/낫다' 등 일부는 모음으로 시작하는 어미와 결합할 때 '부어요', '나아요'와 같이 'ㅅ'이 탈락하는데, 이를 'ㅅ 불규칙'이라고 한다. 단, '씻다/웃다/벗다' 등은 다른 동사와 마찬가지로 규칙 활용을 한다.

• 여러분, 영화를 봤어요. 아주 슬펐어요. 많이 울었어요. 그럼 여러분 눈이 어떻게 돼요?
(붓다 / 부어요 / 부었어요.) ('붓다-부었어요'를 칠판에 쓰면서) 네. 맞아요. 많이 울어서 '눈이 부었어요.'라고 말해요.
• 아기가 태어나요. 이름이 없어요. 이름을 만들어요. 그것을 ('붓다-부었어요' 아래 '짓다-지었어요'를 쓰면서) '이름을 짓다'라고 해요. 이름을 만들었어요. '이름을 지었어요.'라고 해요.
• 감기에 걸렸어요. 약을 먹고 푹 쉬어요. 그럼 어때요? 안 아파요. 감기 증상이 없어요. ('짓다-지었어요' 아래 '낫다-나았어요'를 쓰면서) '감기가 나았어요.'라고 말해요.
• (칠판에 쓴 글을 보면서) 여기 보세요. 받침 'ㅅ'이 있어요. 그런데 '-았어요 / 었어요' 앞에서 'ㅅ'이 없어져요. 맞아요? (네.) 받침 'ㅅ'이 '-아서 / 어서, -(으)니까, -아요 / 어요, -았어요 / 었어요' 등 모음을 만나면 'ㅅ'이 없어져요. 이것이 'ㅅ 불규칙'이에요.

- 형태:

ㅅ 불규칙	ㅅ 규칙
모음 부으니까, 지어서, 나았어요 자음 붓고, 짓습니다, 낫지만	모음 씻으니까, 웃어서 자음 씻고, 웃지만

☆ ㅅ 불규칙 동사 또는 형용사로 '붓다', '짓다', '젓다', '낫다' 등이 있다. 그중 '낫다'는 동사와 형용사가 모두 있는데 이 부분에서 새로운 어휘가 많이 나오므로 동사 '낫다'를 중심으로 제시하고 연습하면 학습자들의 부담을 줄일 수 있다.

□ 2번 문항 1)의 경우 '이름을 ○○(이)라고 짓다' 표현은 '이름을 ○○(으)로 짓다'로 바꿔서 연습할 수도 있다.

발음	'바쁘죠'의 발음	66쪽

□ '바쁘죠?'는 [바쁘조]로 발음한다. 'ㅈ, ㅉ, ㅊ'과 같은 경구개음 뒤에서는 반모음 'ㅣ'가 연이어 발음될 수 없다는 제약이 있어 '죠'는 [조]로 발음된다.

□ 기본 교재에 제시된 문장 외에도 아래 문장으로 더 연습할 수 있다.
　예 요즘 일이 많아서 힘들죠? / 내일 여행 가죠? / 작년에 한국에 왔죠? / 어제도 떡볶이를 먹었죠?

활동	바쁜 생활과 스트레스 / 스트레스 이야기	66~67쪽

□ '활동 1' 연습 후 아래와 같이 '활동 2'의 1-2) 연습을 이어서 할 수도 있다. '스트레스를 받으면' 형태를 반복 연습할 수 있을 뿐만 아니라 자연스럽게 활동 2와도 연결할 수 있다.

> 저는 스트레스를 받으면 공원에 가요. 산책해요. 그리고 친구를 만나요. 같이 맛있는 음식도 먹어요. 그러면 기분이 괜찮아요. ○○ 씨는 언제 스트레스를 받아요? 스트레스를 받으면 어떻게 해요? 뭐 해요?

□ '활동 2'에서 학습자가 쓰기에 어려움을 느낄 경우, 아래 기본 형태를 제시한다. 먼저 이 문장을 완성한 후 내용을 덧붙여 글쓰기를 확장할 수 있다.

> '요즘 (　　　-아서/어서) 스트레스를 많이 받습니다. 저는 스트레스를 받으면 (　　　　　). 그럴 때는 (　　　-(으)면) 좀 괜찮습니다.

더하기 활동 | 32쪽, 1번

□ 이 단원의 듣기는 다음과 같이 진행할 수 있다. 1-1)에서 두 번 들으며 처음에는 듣고 내용을 파악한 후 다시 들으며 빈칸 채우기를 진행한다.
　1-2)번에서는 1)의 문장을 보고 대화 순서대로 번호를 써 본 후 다시 들으면서 답을 확인한다.

더하기 활동 | 33쪽, 2번

□ 다음과 같은 내용도 생각해 볼 수 있다.
　예 앞으로 어떻게 되면 좋을 것 같아요?/이 문제에서 가장 어려운 부분이 뭐예요?

잠이 안 오면 가벼운 운동을 해 보세요

어휘와 표현	생활 습관	71쪽

□ 1번 어휘 제시 부분의 구분해 놓은 색을 참고하여 좋은 습관, 안 좋은 습관을 확인한다. '일찍 자고 일찍 일어나다', '늦게 자고 늦게 일어나다'와 같이 반대인 생활 습관은 묶어 설명할 수 있다. '가벼운' 운동의 반대로 '무거운' 운동은 없다는 점도 설명할 수 있다.

더하기 활동 | 34쪽, 1번

□ 1B에서 배운 표현도 복습하고 새로운 표현을 써 볼 수 있게 한다.
　예 1B(10과)에서 배운 표현: 아침을 꼭 먹어요, 물을 자주 마셔요.
　추가될 수 있는 표현: 아침에 커피를 마셔요, 다리를 떨어요, 자기 전에 핸드폰을 봐요 등

문법 1	-는데/(으)ㄴ데	72쪽

□ 본 단원의 문법(-는데/(으)ㄴ데, -아/어 보다) 중 '-는데/(으)ㄴ데'는 다른 문법에 비해 의미와 형태를 익히는 데 시간이 필요하여 교수 부담이 높은 항목이므로 교수·학습 시간이 더 필요할 수 있다.

□ 도입

72쪽 (책의 그림을 가리키며)
안나가 아파요. 어디가 아파요? (머리요.)
여러분은 머리가 아프면 어떻게 해요? (약을 먹어요, 자요.)
안나는 약을 먹고 싶어 해요. 그런데 약이 없어요. 그래서 친구에게 '약이 있어요?' 물어봐요. 그런데 약만 물어보면 친구가 '왜요?' 생각할 거예요. 그래서 이렇게 물어봐요.
→ (칠판에 판서) 머리가 좀 아픈데 혹시 약이 있어요?

□ 설명

- 의미: '-는데'는 동사와 '(으)ㄴ데'는 형용사와 결합하여 뒤에 말하려고 하는 내용의 배경이나 상황을 제시할 때 사용한다. 또 뒤에 관련이 있는 질문이나 제안을 할 수도 있다.

(도입에서 연결한다.)
- 여러분이 속이 안 좋아요. 그런데 약이 없어요. 약이 없으면 어떻게 해요? (약국에서 사요. / 친구에게 물어봐요.)
- 네. 지금 속이 많이 안 좋아서 약국에 갈 수 없어요. 그래서 친구에게 (칠판에 판서) '약이 있어요?' 물어보려고 해요. 그런데 이렇게 말하면 친구가 '왜요? 무슨 약이 필요해요?' 궁금해할 거예요. 그럼 어떻게 말하면 좋을까요?
  '속이 좀 안 좋은데 약이 있어요?' (위 판서한 것의 앞부분에 '속이 좀 안 좋은데'를 추가) 이렇게 말할 수 있어요. 그럼 친구가 '아, 속이 안 좋아요. 그래서 약이 필요해요.' 알아요.
- 이렇게 뭘 질문하거나 부탁할 때 앞에 지금 어떤지 이야기하고 뒤에 질문하거나 부탁하는 말을 할 수 있어요.
- 그리고 어떤 상황을 말할 때도 쓸 수 있어요. 여러분이 어제 홍대에 갔어요. 그런데 사람이 많았어요. 그럼 (칠판에 판서) '어제 홍대에 갔는데 사람이 많았어요!' 이렇게 말해요. '사람이 많았어요.'만 말하면 어디에요? 언제요? 몰라요. 그래서 '-는데 / (으)ㄴ데'를 써서 상황을 같이 말해요.

- 형태

동사	형용사
받침 ○ -는데 먹는데, 읽는데, 앉는데, 찾는데, 듣는데	받침 ○ -은데 작은데, 좋은데, 많은데, 넓은데, 높은데
받침 × -는데 가는데, 보는데, 기다리는데, 공부하는데	받침 × -ㄴ데 큰데, 싼데, 아픈데, 바쁜데 있다/없다 -는데 있는데, 없는데, 재미있는데, 재미없는데

명사 + 이다, 아니다	탈락/불규칙
-ㄴ데 책인데, 연필인데 사과인데, 지우개인데	•만들다 → 만드는데 •멀다 → 먼데 •춥다 → 추운데 (규칙: 입다 → 입는데)

- 참고: 구어에서 받침이 없는 명사와 결합할 때는 주로 '명사+-ㄴ데'라고 쓴다. 그러나 격식적인 표현에서는 잘 사용하지 않는다.
  예 사관데, 지우갠데

☆ 주로 질문이나 요청, 제안, 명령을 하기 전에 그 이유나 근거를 말할 때 사용한다. 뒤에 '-(으)세요', '-(으)ㅂ시다', '-(으)ㄹ까요?' 같은 표현들이 자주 온다.

- 추가 예문
  어제 명동에서 떡볶이를 먹었는데 맛있었어요.
  몸도 안 좋은데 오늘은 집에서 쉬세요.
  눈이 많이 오는데 나가서 눈사람을 만들까요?
  오늘 우리 집에서 파티를 하는데 놀러 오세요.

더하기 활동 | 35쪽, 1번

□ 제시된 뒤 절을 보고 자연스럽게 연결될 수 있는 배경 상황을 생각해 문장을 만들어 보게 한다.
예 심심한데 쇼핑할까요? / 용돈을 받았는데 쇼핑할까요? / 시간이 좀 있는데 쇼핑할까요?

문법 2	-아/어 보다	73쪽

□ 도입

73쪽 (책의 그림을 가리키며)
유진 씨가 비빔밥이 맛있는 식당에 가고 싶어 해요. 그런데 어디가 맛있어요? 몰라요. 그래서 주노 씨에게 물어봐요. 어떻게 말해요? (비빔밥이 맛있는 식당 알아요?)
네. 여러분, 주노 씨는 어때요? 좋은 식당을 알아요? 어디예요? (네. 하나식당이에요.)

네. 주노 씨는 비빔밥이 맛있는 식당을 알아요. 유진 씨가 그 식당에 가면 좋을 것 같아요. 그래서 유진 씨에게 이야기해요.
→ (칠판에 판서) 하나식당 비빔밥이 맛있는데 한번 가 보세요.

□ **설명**

- 의미: 동사에 붙어 상대가 경험하지 않은 어떤 일에 대해 권유하거나 조언하는 말을 할 때 주로 사용한다.

- 여러분, 친구가 재미있는 책을 읽고 싶어 해요. 그런데 책을 잘 몰라서 여러분에게 물어봤어요. 여러분은 재미있는 책을 알아요. 친구가 이 책을 읽으면 좋아할 거예요. 생각해요. 그럴 때 '-아/어 보세요'로 친구에게 이야기할 수 있어요.
  (칠판에 판서) 이 책이 재미있는데 한번 읽어 보세요.
- 또 여러분, 혹시 한국 음식 중에 떡볶이 알아요? 먹었어요? (네. 먹었어요. / 아니요. 안 먹었어요.) ○○ 씨가 떡볶이를 안 먹었어요. 선생님이 생각해요. 떡볶이가 맛있어서 ○○ 씨가 떡볶이를 먹으면 좋아할 거예요. 그럼 이렇게 이야기해요.
  (칠판에 판서) ○○ 씨, 떡볶이를 한번 먹어 보세요. 정말 맛있어요.

- 형태

동사	
ㅏ, ㅗ -아 보세요 찾아 보세요, 사 보세요, 만나 보세요	ㅏ, ㅗ 이외 -어 보세요 먹어 보세요, 마셔 보세요, 배워 보세요
하다 해 보세요 해 보세요, 운동해 보세요, 이야기해 보세요	탈락/불규칙 •쓰다 → 써 보세요 •듣다 → 들어 보세요 (규칙: 닫다 → 닫아 보세요) •젓다 → 저어 보세요 (규칙: 씻다 → 씻어 보세요)

- 제약
① 형용사와 결합하지 않는다. 예 한번 예뻐 보세요. (×), 배가 고파 보세요. (×)
② 동사 '보다'와 결합하면 어색하다. '보다'의 형태가 중복되어 어색해지기 때문에 '봐 보다'로는 잘 사용하지 않는다.

- 참고
'한번 -아/어 보세요'의 구성으로 자주 사용한다. '한번'은 어떤 일을 시험 삼아 시도한다는 의미를 가지고 있어 '-아/어 보다'가 가지는 시도의 의미를 더 명확하게 한다.

- 추가 예문
한국에 가면 동대문 시장에 한번 가 보세요. 옷이 싸고 좋아요.
태권도가 재미있는데 한번 배워 보세요.
한국어를 잘하고 싶으면 한국 사람과 많이 이야기해 보세요.

더하기 활동 | 35쪽, 2번

□ 자신이 잘하는 것을 먼저 메모해 보게 한 후 그것을 잘하기 위해 무엇을 했는지 생각해 보게 한다. 자신이 잘하는 것을 큰 종이에 써서 들고 다니면 그것에 대해 조언을 듣고 싶은 학생들이 찾아와 질문을 하게 할 수도 있다.
예 A: ○○ 씨는 한국어 말하기를 잘해요? 어떻게 하면 한국어 말하기를 잘할 수 있어요?
B: 한국 드라마를 많이 보세요. 그럼 한국 사람들이 많이 하는 말을 잘 알 수 있어요.

활동 | 생활 습관 / 고치고 싶은 습관 | 74~75쪽

□ '활동 2'에서는 고치고 싶은 습관이 다른 학생들끼리 팀을 이뤄 서로 조언을 해 보게 할 수도 있다. 또는 자유롭게 돌아다니며 친구를 만나 자신의 고치고 싶은 습관을 이야기하고 조언을 듣게 할 수도 있다.

□ '활동 2'와 관련하여 [더하기 활동 교재]의 '읽고 쓰기'는 '고민'에 대해 쓰고 친구들에게 조언을 듣고 쓰기로 주제를 확장한 것이다. 시간의 여유가 있으면 모든 학생들에게 조언을 받고 그중 가장 마음에 드는 조언을 뽑아 보는 것도 할 수 있다.

더하기 활동 | 36쪽, 1번

□ 지금까지 연습한 것과 다르게 조언을 먼저 듣고 고민이 무엇인지 찾는 순서로 구성되어 있어 1번을 여러 번 들으면서 고민을 추측해 보게 하면 좋다. 또 2번에서 고민을 듣고 친구들과 여러 다른 조언을 생각하고 말해 볼 수도 있다.
예 밤에 야식을 먹는 습관을 고치고 싶으면 일찍 자 보세요. 밤늦게까지 잠을 안 자면 배가 고플 거예요. / 잠이 안 오면 조용한 음악을 들어 보세요.

그럼 칼국수를 먹는 게 어때요?

어휘와 표현	음식과 주문	79쪽

- □ '어휘와 표현' 1번 문항에서 제시하는 어휘의 철자를 외우거나 쓰는 활동을 하기보다는 사진과 음식 이름을 연결하고 정확히 발음할 수 있는 것에 초점을 맞추는 것이 좋다.
- □ '어휘와 표현' 2번 문항의 듣기 활동을 하기 전에 먼저 학생들에게 관련된 표현('메뉴를 보다, 카드로 계산하다, 음식을 주문하다/시키다, 메뉴를 정하다/고르다, 현금으로 계산하다')의 의미를 교수한다. 이때는 [더하기 활동 교재] '듣고 말하기'의 2번 그림 자료와 대화 자료를 활용할 수 있다.

문법 1	-는/(으)ㄴ/(으)ㄹ 것 같다	80쪽

□ 도입

80쪽
여러분, (문법 1 도입 그림의 오른쪽 주노 씨를 가리키면서) 이 사람은 지금 친구하고 케이크를 구경하고 있어요. 이 사람하고 친구가 이야기해요. (위쪽 말풍선의 문장을 가리키면서) 읽으세요. (문법 1 도입 그림의 오른쪽 주노 씨를 가리키면서) 이 사람은 이 케이크를 사요? (주노 쪽 문장을 가리키면서) 읽으세요. (네. 마리 씨가 좋아할 것 같아요.) 이 사람이 케이크를 사요? (네. 사요.) 왜요? (마리 씨가 좋아해요.) '마리 씨가 이 케이크를 좋아해요.' 정말이에요? (몰라요.) 맞아요. 이 사람이 케이크를 봐요. 그리고 (머리를 손가락으로 짚으면서) 생각해요. '마리 씨가 좋아해요.'
→ 마리 씨가 좋아할 것 같아요.

□ 설명

- 의미: 동사나 형용사, '이다, 아니다'와 함께 사용되어, 말하는 사람이 어떤 일에 대해 추측함을 뜻한다.

(도입에서 연결한다.)
- ('마리 씨가 좋아하다'를 판서한다.) 지금 마리 씨를 보고 있어요? (아니요.) 마리 씨가 정말 좋아해요? (몰라요.) 그런데 이 사람은 마리 씨를 알아요. 마리 씨가 케이크를 잘 먹어요. 봤어요. 마리 씨가 케이크를 좋아해요. 알아요. 그래서 케이크를 보고 (머리를 손가락으로 짚으면서) 생각해요. '마리 씨가 좋아할 것 같아요.' (앞서 판서한 내용 중 '다'를 지우고 '-ㄹ 것 같아요.'를 덧붙여 판서)
- 여러분, 이 케이크를 보세요. (그림의 케이크를 가리킨다.) 이 케이크가 맛있을까요? (네. / 아니요.) 지금 우리가 이 케이크를 먹고 있어요? (아니요.) 그럼 어떻게 알아요? (케이크가 예뻐요. / 딸기가 있어요. / 딸기를 좋아해요.) 네. 우리는 케이크를 봐요. 전에 딸기 케이크를 먹었어요. 맛있었어요. ('맛있다' 판서) 그럼 (머리를 손가락으로 짚으면서) 생각해요. 그리고 말해요. '이 케이크가 맛있을 것 같아요. (앞서 판서한 내용의 '다'를 지우고 '-을 것 같아요'를 덧붙여 판서) 전에 딸기 케이크를 샀어요. 아주 맛이 없었어요. ('맛없다' 판서) 그럼 (머리를 손가락으로 짚으면서) 생각해요. 그리고 말해요. '이 케이크가 맛없을 것 같아요.' (앞서 판서한 내용의 '다'를 지우고 '-을 것 같아요'를 덧붙여 판서)

☆ 9과 이전의 과에서는 관형형의 다양한 형태 중 형용사와 결합하는 '-(으)ㄴ'(1B 4과), 동사와 결합하는 현재형 '-는'(2A 1과)만을 학습하였다. 1B 8과에서 문형 '-(으)ㄴ 후에'를 통해 동사에 결합하는 과거 시제 관형형 어미의 형태에 노출된 바 있으나 이를 하나의 형태소로 학습하지는 않았다. 그러므로 2A 9과 제시 단계에서 관형형의 다양한 형태를 모두 정리하는 것은 학생들에게 다소 인지적인 부담을 줄 수 있다. 제시 단계에서는 형용사와 동사에 결합하여 미정·추측을 나타내는 관형형 어미 '-(으)ㄹ'만을 제시하고, 목표 문형에 대한 의미 이해가 끝난 후에 [기본 교재] '문법 1'의 1번과 3번으로 추측을 나타내는 문형의 의미 및 '-(으)ㄹ'과의 결합 형태를 연습하며 익히도록 한다. (이때 '이다, 아니다'와의 결합 형태에 대해서도 내용을 확장할 수 있다.) 이후 학습 부담과 시수를 고려하여 다양한 시제를 나타내는 관형형 어미와의 결합형을 확장해 제시하도록 한다. 이때 [더하기 활동 교재] '문법 1'은 '-는 것 같다'의 교수에, [기본 교재] '문법 1'의 2번 문항은 '-는/(으)ㄴ/(으)ㄹ 것 같다'의 종합적인 의미 이해에 활용한다. 만약 시제와 품사별 관형형 어미 형태를 종합적으로 정리하고자 할

때에는 2A 9과 익힘책의 문법 1 표를 활용할 수 있다.

- 형태

[미정·추측]

동사, 형용사	
받침 ○ -을 것 같다 먹을 것 같다, 읽을 것 같다, 작을 것 같다 받침 × -ㄹ 것 같다 올 것 같다, 잘 것 같다, 구경할 것 같다	탈락/불규칙 •만들다 → 만들 것 같다 •듣다 → 들을 것 같다 (규칙: 받다 → 받을 것 같다) •덥다 → 더울 것 같다 (규칙: 좁다 → 좁을 것 같다) •낫다 → 나을 것 같다 (규칙: 씻다 → 씻을 것 같다)

☆ '이다'의 경우 '일 것 같다', '아니다'의 경우 '아닐 것 같다'와 같은 형태로 활용한다.

[현재]

동사	형용사
받침 ○ -는 것 같다 먹는 것 같다, 씻는 것 같다, 듣는 것 같다 받침 × -는 것 같다 오는 것 같다, 자는 것 같다, 구경하는 것 같다 탈락/불규칙 •만들다 → 만드는 것 같다	받침 ○ -은 것 같다 작은 것 같다, 넓은 것 같다, 좋은 것 같다 받침 × -ㄴ 것 같다 큰 것 같다, 예쁜 것 같다, 흐린 것 같다 탈락/불규칙 •길다 → 긴 것 같다 •맵다 → 매운 것 같다 (규칙: 좁다 → 좁은 것 같다)

☆ '이다'의 경우 '인 것 같다', '아니다'의 경우 '아닌 것 같다'와 같은 형태로 활용한다.

☆ '있다, 없다'나 '있다, 없다'가 붙은 형용사는 '있는 것 같다/없는 것 같다'와 같은 형태로 활용한다.

[과거]

동사	
받침 ○ -은 것 같다 먹은 것 같다, 찍은 것 같다, 읽은 것 같다 받침 × -ㄴ 것 같다 온 것 같다, 자는 것 같다, 구경한 것 같다	탈락/불규칙 •만들다 → 만든 것 같다 •듣다 → 들은 것 같다 (규칙: 받다 → 받은 것 같다) •돕다 → 도운 것 같다 •낫다 → 나은 것 같다 (규칙: 씻다 → 씻은 것 같다)

- 확장: '-았을/었을 것 같다'의 형태로 과거에 대한 추측을 나타내기도 한다. 과거 추측인 '-(으)ㄴ 것 같다'는 동사와만 결합하지만 '-았을/었을 것 같다'는 동사, 형용사와 모두 결합한다.

  어제 비가 온 것 같다. (○) 어제 비가 왔을 것 같다. (○)

  어제 날씨가 흐린 것 같다. (×) 어제 날씨가 흐렸을 것 같다. (○)

- 추가 예문

  내일 좀 늦을 것 같아요.

  이 음식은 아주 매울 것 같아요.

  재민 씨가 지금 집에 있는 것 같아요.

  두 사람이 어제 만나지 않은 것 같아요.

  안나 씨가 어제 바빠서 청소를 하지 못한 것 같아요.

문법 2	-는 게 어때요?	81쪽

□ 도입

81쪽

여러분, 그림을 보세요. (문법 2 도입 그림 중 왼쪽 남자를 가리키면서) 이 사람이 지금 어때요? (피곤해요./스트레스를 받아요.) 네. 그래서 이 사람이 말해요. '오늘 너무 피곤해서 요리를 하고 싶지 않아요.' 그럼 어떻게 저녁을 먹어요? (문법 2 그림 중 오른쪽 여자를 가리키면서) 이 사람이 돕고 싶어요. 어떻게 해요? (머리를 손가락으로 짚으면서) 생각해요. 여러분, 피곤해서 요리를 하고 싶지 않아요. 어떻게 하면 좋아요? (식당에서 밥을 먹어요./전화로 주문해요.) 맞아요. (문법 2 그림 중 오른쪽 인물을 가리키면서) 이 사람이 말해요. '식당에서 밥을 먹어요. 그럼 괜찮을 거예요. 어때요?'

→ 식당에서 밥을 먹는 게 어때요?

'전화로 저녁을 주문해요. 그럼 괜찮을 거예요. 해 보세요. 어때요?', '전화로 주문하는 게 어때요?'

□ 설명

- 의미: 동사와 결합하여 청자에게 어떤 행동을 권유하는 의미를 나타낸다.

(도입에서 연결한다.)

- ('식당에서 밥을 먹다'를 판서) 이거 좋아요. 해 보세요. 어때요? '식당에서 밥을 먹는 게 어때요?' (앞서 판서한 내용의 '다'를 지우고 '-는 게 어때요?'를 덧붙여 판서)
  ('전화로 저녁을 주문하다'를 판서) 이거 좋아요. 해 보세요. 어때요? '전화로 저녁을 주문하는 게 어때요?' (앞서 판서한 내용의 '다'를 지우고 '-는 게 어때요?'를 덧붙여 판서)
- 친구가 많이 아파요. 그런데 회사에 왔어요. 친구를 돕고 싶어요. 여러분, 친구가 어떻게 하면 좋을까요? (병원에 가 보세요. / 약을 먹어요. / 집에서 쉬어요.) 네. 친구에게 말해요. '병원에 가 보는 게 어때요?', '약을 먹는 게 어때요?', '집에서 쉬는 게 어때요?'

- 형태

동사	
받침 ○ -는 게 어때요? 먹는 게 어때요? 앉는 게 어때요? 받침 × -는 게 어때요? 쉬는 게 어때요? 가 보는 게 어때요?	탈락 • 열다 → 여는 게 어때요?

- 추가 예문
  갈비탕을 먹어 보는 게 어때요?
  한국 요리를 만드는 게 어때요?
  주말마다 운동을 하는 게 어때요?
  따뜻한 물을 좀 마시는 게 어때요?

발음	경음화	82쪽

□ 파열음 'ㄱ, ㄷ, ㅂ' 뒤에 연결되는 'ㄱ, ㄷ, ㅂ, ㅅ, ㅈ'은 된소리로 발음한다. 2A 9과에서는 이 가운데 받침 'ㄱ' 뒤에 'ㅅ'이 오는 경우와 'ㅂ' 뒤에 'ㅈ'이 오는 경우에 대해서만 다룬다.

활동	음식 주문/ 주말 식사 약속	82~83쪽

□ '활동 1'의 2번 3) 대화 예시
가: 뭐 주문할 거예요? 정했어요?
나: 네. 저는 순두부찌개로 정했어요. 민호 씨는요?
가: 저도 순두부찌개가 맛있을 것 같아요.
나: 그럼 민호 씨도 순두부찌개를 주문하는 게 어때요? 여기 순두부찌개가 아주 맛있어요.

□ [더하기 활동 교재]의 '읽고 쓰기'에서는 명절에 먹는 음식을 주제로 한 글을 제시하고 있다. 이러한 읽기 자료를 통해 학생들이 한국의 음식에 대해 이해하도록 돕고, 글의 내용에서 얻은 언어 지식을 바탕으로 모국의 식문화를 한국어로 표현할 수 있도록 유도한다.

더하기 활동 | 41쪽, 2번

□ 읽기를 마친 후에는 모국에서 명절에 먹는 특별한 음식의 이름과 그 의미를 메모해 보도록 한다. 모든 학생이 자국 문화나 요리에 대한 지식을 가지고 있는 것이 아니므로 다음 차시의 쓰기 활동 전에 반드시 이 단계를 수행하는 것이 좋다.

그럼 저 까만 구두는 어때요?

어휘와 표현	색과 모양	87쪽

□ [기본 교재] '어휘와 표현' 1번 문항에서는 'ㅎ' 받침이 있는 색깔 어휘만 소개하고 있다. 이후 활동에서 학습자들이 다양한 사물을 설명하며 알고 싶어 하는 색깔이 있을 경우에는 추가로 어휘를 제시해 줄 수 있다. 단, 1번 문항과 같이 색깔을 나타내는 어휘가 서술어로 사용되는 경우는 제한적이며 2급의 수준을 넘는 경우가 많으므로 도입에서와 같이 명사 형태로 제시해 주는 것이 좋다(예 주황색, 초록색).

□ [기본 교재] '어휘와 표현' 2번 문항에서는 제시된 어휘들을 결합하여 문장을 만들어 보는 형태의 연습을 통해 이해를 확인하는 것이 좋다.

예 크기가 커요. / 가격이 비싸요. / 디자인이 복잡해요.
크기가 적당해요. / 가격이 적당해요.

더하기 활동 | **42쪽, 2번**

□ [기본 교재] '문법 1'에서 ㅎ 불규칙의 형태 변화를 교수한 후에 진행하는 것이 적절하다.

문법 1	ㅎ 불규칙	88쪽

□ 'ㅎ 불규칙'은 형태 제시와 연습에 많은 시간이 소요된다. 반면 10과의 두 번째 문법인 '-(으)면 좋겠다'는 그 의미를 이해하기 쉽고 7과에서 '-(으)면'을 학습한 바 있어 형태면에서도 학습자들이 이해하기 어렵지 않다. 전체 수업 운영에서는 이 점을 참고하여 시간을 적절히 배분하도록 한다.

88쪽
여기는 옷 가게예요. (손가락으로 왼쪽 남자를 가리키며) 이 사람은 가게 직원이에요. 이 사람이 이야기해요. (해당 문장을 가리키며) 읽으세요. (뭘 드릴까요?) (손가락으로 오른쪽 남자를 가리키며) 이 사람은 손님이에요. 손님이 옷을 봐요. 바지가 있어요. (손가락으로 바지를 하나씩 가리키며) 색이 어때요? (하얗다 / 빨갛다 / 파랗다) 네. 남자는 (손가락으로 하얀색 바지를 가리키면서) 이 바지를 사고 싶어요. 그럼 이렇게 말해요.
→ 저 하얀 바지 주세요.

□ **설명**
- 의미: '빨갛다, 파랗다, 어떻다, 그렇다' 등 받침 'ㅎ'으로 끝나는 형용사의 일부는 모음으로 시작하는 어미와 결합할 때 불규칙 활용을 한다. '-(으)면, -(으)니까' 등 '-으'로 시작하는 어미와 결합할 때는 받침 'ㅎ'이 탈락하고, '-아/어'로 시작하는 어미와 만나면 'ㅎ'이 탈락한 후 '-아/어'가 '-애/얘'로 바뀐다.

(도입에서 연결한다.)
바지예요. ('크다', '바지' 판서) 어떻게 말해요? (큰 바지요.) 맞아요. ('크다'를 '큰'으로 수정)
바지예요. ('작다', '바지' 판서) 어떻게 말해요? (작은 바지요.) 맞아요. ('작다'를 '작은'으로 수정)
바지예요. ('하얗다', '바지' 판서) 어떻게 말해요? (하얗은 바지 / 하얀 바지요.)
네. ('얗'을 가리키면서) 여기 받침이 있어요. 그런데 '하얗은' 아니에요. '하얀'이에요. ('-(으)ㄴ'판서) 받침이 ㅎ예요. ('얗'을 가리킨다.) 여기 ('(으)'를 가리키면서) 'ㅏ, ㅓ, ㅗ, ㅜ, …' 모음이 있어요. 그럼 'ㅎ'이 없어져요. ('얗'에서 받침 ㅎ을 지운다.)
(위 내용에 이어서 다음과 같이 판서한다. 학생들과 이야기하면서 아래 파란색 글씨를 하나씩 판서해 나간다.)

	-(으)ㄴ	-(으)니까	-아요 / 어요
하얗다	하얀	하야니까	하얘요
까맣다	까만	까마니까	까매요
빨갛다	빨간	빨가니까	빨개요
파랗다	파란	파라니까	파래요
노랗다	노란	노라니까	노래요
어떻다	어떤	어떠니까	어때요

그럼 '까맣다 + 바지'는 어떻게 말해요? (까만 바지요.) ('까만' 판서)
그럼 '빨갛다 + 바지'는 어떻게 말해요? (빨간 바지요.) ('빨간' 판서. '어떻다'까지 반복)

- 보세요. (칠판에 쓰면서) '하얗다 + -(으)니까'는 어떻게 해요?
  '하얗다'예요. ('-으니까'의 '-으-'에 동그라미 하면서) '으'를 만나요. 모음이에요.
  ('ㅎ'을 지우며) 그럼 받침 'ㅎ'이 없어져요. 받침이 없으면 어떻게 말해요? (하야니까요.)
  네. 잘했어요. '하야니까, 까마니까, 빨가니까, 파라니까, 노라니까, 어떠니까' 말해요.
- (칠판에 쓰면서) '하얗다 + -아요 / 어요'예요. '-아 / 어' 모음이에요. 그럼 ('ㅎ'을 지우며) 'ㅎ'이 없어져요. ('-야'+'어' → '얘' 쓰면서) '얘'가 돼요. '하얘요' 말해요.
  '까맣다-까매요, 빨갛다-빨개요, 노랗다-노래요, 파랗다-파래요'예요. 그럼, 이건 어떻게 해요? ('어떻다'를 가리키며) '어떻다, -아요 / 어요?' (어때요?) 맞아요. 잘했어요.

(위 판서 내용 아래에 '좋다'를 판서한다.)
보세요. '좋다'예요. '좋다'는 달라요. ('좋다' 옆에 별표)
'좋다' 받침이 'ㅎ'이에요. '-(으)ㄴ' 말해요. ('좋다', '사람' 판서) '좋은 사람'이에요.
'좋다' 받침이 'ㅎ'이에요. '-아요 / 어요' 말해요. '좋다' + '-아요', '좋아요'예요. ('좋아요' 판서)

☆ 학생들이 교사의 제시와 함께 익힘책 2A 10과 문법 1의 표를 보면서 형태 정보를 정리할 수 있도록 한다.

☆ '-아/어'가 '-애/얘'로 바뀔 때 '하얘요'의 쓰기 오류가 많이 나타나므로 주의하여 지도한다.

- 추가 예문
  가을 하늘이 파래요.
  재민 씨는 노란색 티셔츠를 입었어요.
  수진 씨의 빨간 안경이 예뻐요.
  저는 하얀 꽃을 좋아해요.

□ [기본 교재] '문법 1'의 2번 문항에서는 '빨간색, 파란색, 노란색, 까만색, 하얀색'이 하나의 단어로 굳어져 사용되므로 '빨간∨색'과 같이 띄어쓰기하지 않음을 알려 주는 것이 좋다.

문법 2	-(으)면 좋겠다	89쪽

□ 도입

89쪽
여자는 (왼쪽의 티셔츠를 가리키며) 이 옷을 사고 싶어요. 그런데 옷이 작을 것 같아요.
(혼자 생각하는 것처럼 행동하며) 생각해요. (칠판에 '크다'를 쓰며) 사이즈가 더 커요. 그럼 입을 수 있어요. 이때 말해요.
→ ('크다'에 '다'를 지우고 '-면 좋겠어요'를 더해서 판서) 사이즈가 좀 더 크면 좋겠어요.

□ 설명
- 의미: 동사나 형용사와 결합하여 바라거나 희망하는 것을 이야기할 때 사용한다.

- 저는 내일 공원에서 산책하려고 해요. 그런데 내일 비가 오면 산책을 할 수 없어요. 그럼 내일 비가 오는 게 좋아요? 비가 안 오는 게 좋아요? (비가 안 오는 게 좋아요. / 날씨가 맑으면 좋아요.) 네. 저는 내일 비가 안 오는 게 좋아요. 내일 날씨가 맑아요. 그러면 정말 좋겠어요. 이럴 때 '내일 날씨가 맑으면 좋겠어요.' 말해요.
- 에스엔에스(SNS)에서 친구 사진을 봤어요. 친구는 부산에 여행을 갔어요. 부산에서 해운대 바다도 보고 맛있는 음식도 먹었어요. 친구의 사진을 본 후에 여러분이 '나도 부산에 여행을 가고 싶어요.' 생각해요. 이럴 때 어떻게 말해요? (나도 부산에 여행을 가면 좋겠어요.)
- 제가 아파요. 그래서 여러분이 선생님을 걱정해요. '선생님이 안 아프면 좋아요. 선생님이 안 아프면 좋을 거 같아요.' 생각해요. 그럼 어떻게 말해요? (선생님이 안 아프면 좋겠어요.) 네. 잘했어요.
  지금은 아니에요. 그러면 좋을 거예요. 그때 '-(으)면 좋겠어요' 말해요.

- 형태:

동사·형용사	탈락 / 불규칙
받침 ○ -으면 좋겠어요 읽으면 좋겠어요, 많으면 좋겠어요 받침 × -면 좋겠어요 오면 좋겠어요, 행복하면 좋겠어요	•만들다 → 만들면 좋겠어요 •들으면 좋겠어요 (규칙: 닫다 → 닫으면 좋겠어요) •나으면 좋겠어요 (규칙: 웃다 → 웃으면 좋겠어요) •맵다 → 매우면 좋겠어요 (규칙: 입다 → 입으면 좋겠어요)

☆ '이다', '아니다'는 '-면'을 사용한다.
  예 학생이면 좋겠어요. / 가수면 좋겠어요. / 선생님이 아니면 좋겠어요.

☆ 부정문은 '안 -(으)면 좋겠다' / '-지 않으면 좋겠다'로 사용한다.
  예 시험을 안 보면 좋겠어요. / 내일 비가 오지 않으면 좋겠어요.
- 제약: '좋겠다'가 형용사이므로 청유형 또는 명령형과 결합하지 않는다.
- 확장: 요청을 완곡하게 표현할 때도 사용한다.
  예 이 일은 오늘 오후까지 해 주시면 좋겠어요. / 여러분이 수업 시간에 늦지 않으면 좋겠어요.

□ '-(으)면 좋겠다'와 유사한 의미로 '-았으면/었으면 좋겠다'를 사용할 수 있다. [더하기 활동 교재] 문법 2번 문제를 통해 이에 대한 추가 설명과 연습을 제공하고 있다. '-(으)면 좋겠다'는 아직 일어나지 않은 상황을 소망하거나 희망할 때 사용하며, '-았으면/었으면 좋겠다'의 경우에도 이러한 의미를 공유한다. 그러나 '-았으면/었으면 좋겠다'의 경우 이미 발생한 상황이나 현재 상태와 '반대되는' 상황을 소망하거나 희망할 때 더 자주 사용된다.

예 (현재는 여행을 갈 수 없는 상황에서) 주말에 여행을 갔으면 좋겠어요.
(떡볶이를 먹지 못한 상황에서) 점심에 떡볶이를 먹었으면 좋겠어요.
(한국어를 잘하지 못하는 상황에서) 한국어를 잘했으면 좋겠어요.

활동	좋아하는 신발 / 인터넷 쇼핑	90 ~ 91쪽

더하기 활동 | 44쪽, 1번

□ 듣기 전 활동으로 선택지에 제시된 그림을 보고 관형형을 사용해서 말하도록 한다.

> 예 ①번 그림을 보세요. 뭐가 있어요? (운동화요.)
> 어떤 운동화예요? (하얀 운동화예요.)
> 운동화가 어때요? (운동화가 하얘요.)

더하기 활동 | 45쪽, 1번

명절의 이름과 음식의 이름 등은 고유명사이므로 반드시 한국어로 번역하여 쓰도록 지도하지 않아도 무방하다.

한국을 여행한 적이 있어요?

어휘와 표현	여행 준비	95쪽

□ 1번에서 제시된 표현 외에도 '비행기표를 알아보다'와 같이 다른 동사와도 사용할 수 있는 표현은 추가 설명할 수 있다.
예 맛집을 예약하다, 날짜를 알아보다, 숙소를 정하다 등

더하기 활동 | 46쪽

□ 한 팀에서 각자 역할을 맡아 여행 준비 이야기를 해 본 후 다른 친구와 만나 좀 더 자세하게 논의해 보게 할 수도 있다.

문법 1	-(으)ㄴ 적이 있다	96쪽

□ 본 단원의 문법(-(으)ㄴ 적이 있다, 동안) 중 '-(으)ㄴ 적이 있다'는 다른 문법에 비해 의미와 형태를 익히는 데 시간이 필요하여 교수 부담이 비교적 높은 항목이므로 교수·학습 시간이 더 필요할 수 있다.

□ **도입**

> 96쪽
> 여러분, 좋아하는 배우나 가수가 있지요? 누구 좋아해요? (좋아하는 사람 이름)
> 그 배우 / 가수를 봤어요? 어디에서 봤어요? (네. ○○에서 봤어요. / 아니요. 못 봤어요.)

(책의 그림을 가리키며) 주노 씨가 친구하고 좋아하는 배우 이야기를 해요. 여기 친구가 좋아하는 배우의 사진이 있어요. 그런데 주노 씨가 옛날에 이 배우를 봤어요. 배우를 직접 보는 것은 특별한 일이에요. 그래서 이 일을 주노 씨가 이렇게 이야기할 수 있어요.
→ (칠판에 판서) 이 배우를 본 적이 있어요.

□ **설명**

- 의미: 동사에 붙어 과거의 사건이나 경험을 이야기할 때 사용한다.

(도입에서 연결한다.)

- (책의 그림을 가리키며) 주노 씨가 예전에 한국 여행을 했어요. 그때 한국에서 이 배우를 봤어요. 그래서 '이 사람 한국에서 본 적이 있어요.' 이야기해요. 그런데 주노 씨가 이 사람을 잘 알아요? 자주 봤어요? (아니요.) 네. 한 번 봤어요. 한 번 본 적이 있어요.
- '-(으)ㄴ 적이 있다'는 예전에 우리가 무엇을 봤어요, 먹었어요, 마셨어요, 읽었어요 등 여러 일을 했어요. 그 일을 이야기할 때 사용해요. 그런데 매일 하는 일에는 말하지 않아요. 특별한 일을 했을 때 많이 이야기해요.
- 여러분, 한국에서 불고기 먹었어요? (네. / 아니요.) ○○ 씨는 전에 한국에서 불고기를 먹었어요. 특별한 일을 했어요. 이렇게 말해요.
  → (칠판에 판서) ○○ 씨는 한국에서 불고기를 먹은 적이 있어요.

- 형태

동사	
받침 ○ -은 적이 있다 먹은 적이 있다, 읽은 적이 있다, 찾은 적이 있다, 찍은 적이 있다 받침 × -ㄴ 적이 있다 간 적이 있다, 본 적이 있다, 만난 적이 있다, 배운 적이 있다	탈락/불규칙 •만들다 → 만든 적이 있다 •듣다 → 들은 적이 있다 (규칙: 받다 → 받은 적이 있다) •짓다 → 지은 적이 있다 (규칙: 씻다 → 씻은 적이 있다)

- 제약: 형용사와 결합하지 않는다. 형용사와 결합하여 동일한 의미를 나타내려면 '-았던/었던 적이 있다'를 사용해야 한다. 그러나 이 단계에서 '-았던/었던'을 가르치는 것은 교수 부담이 크기 때문에 이 단계에서는 동사에 한정하여 교수하고 '-았던/었던 적이 있다'는 같이 제시하지 않는 것이 좋다.
  예 시험 점수가 나쁜 적이 있어요. (×) / 시험 점수가 나빴던 적이 있어요. (○)

- 확장
  ① 반의 표현으로 '-(으)ㄴ 적이 없다'를 쓴다.
  예 저는 김치를 먹은 적이 없어요.
  ② 2A 12과에 나오는 '-아/어 보다'와 결합하여 '-아/어 본 적이 있다' 구성으로 쓰기도 한다.
  예 마리 씨는 프랑스에 가 본 적이 있어요.
- 추가 예문
  한국 책을 읽은 적이 있어요.
  지갑을 잃어버린 적이 있어요.
  한국 음식을 만든 적이 있어요.

더하기 활동 | 47쪽, 1번

□ 거짓 경험을 쓰는 경우에도 진짜처럼 보이도록 이야기를 더 만들어 내게 할 수도 있다. 반 전체 학생들이 서로 만나 이야기하게 하면서 어떤 학생의 문장이 참, 거짓을 맞히기가 가장 어려웠는지 뽑아 볼 수도 있다.

문법 2	동안	97쪽

□ **도입**

97쪽 (책의 그림을 가리키며)
여러분, 설날 알아요? (네. 알아요. / 아니요. 몰라요.) 설날은 일 년의 시작을 축하하는 날이에요. 한국 사람들은 이날 가족과 모여 맛있는 음식도 먹고 같이 시간을 보내요. 그런데 설날에는 며칠 쉬어요? (몰라요.) 책의 달력을 보세요. 언제 쉬어요? (20일부터 22일까지 쉬어요.)
→ 네. (칠판에 20, 21, 22를 쓰고 숫자 하나씩 동그라미를 치면서 1일, 2일, 3일이라고 말하며) 20일부터 22일까지 3일 동안 쉬어요.

□ **설명**

- 의미: 명사와 결합하여 어떤 일이 계속되는 시간이나 기간을 나타낸다.

- ○○ 씨, 어제 몇 시부터 몇 시까지 한국어를 공부했어요? (8시부터 11시까지 공부했어요.) (칠판에 8시, 9시, 10시, 11시를 쓰고 숫자 사이를 연결하며) 한 시간, 두 시간, 세 시간.
  (칠판에 판서) ○○ 씨는 어제 세 시간 동안 한국어를 공부했어요.
- 여러분, 제 동생은 대학생인데 7월 1일부터 8월 31일까지 방학이에요. 그럼 얼마나 쉴 수 있을까요? (두 달 쉴 수 있어요.)

네. (칠판에 판서) 두 달 동안 쉴 수 있어요.
• 이렇게 '동안'은 '시간', '일', '주', '휴가', '방학' 등과 같이 써서 어떤 일이 계속되는 시간을 나타낼 때 사용해요.

- 형태: 명사와 결합하며 받침 유무에 관계없이 '동안'을 쓴다.

☆ '시간', '일', '주', '달' 등과 함께 쓸 수 있는데 이러한 명사 앞에 자주 쓰이는 수사와 함께 설명하면 좋다. '일'의 경우에는 '일 일 동안', '이 일 동안'도 사용하고 '하루, 이틀, 사흘'과 '동안'을 함께 자주 쓰기도 한다. '하루 동안', '이틀 동안'이 구어에서 더 빈번하게 쓰이나, 모두 교수할 경우 학생들에게 혼란을 줄 수 있으므로 질문이 있을 경우에 제시하는 것이 좋다.

예 시간: 한 시간 동안, 두 시간 동안, 세 시간 동안
일: 일 일 동안, 이 일 동안, 삼 일 동안/하루 동안, 이틀 동안, 사흘 동안
주: 한 주 동안, 두 주 동안, 세 주 동안/일 주(일) 동안, 이 주(일) 동안, 삼 주(일) 동안
달: 한 달 동안, 두 달 동안, 세 달 동안

- 확장:
① 동사와 결합하여 '-는 동안'으로 사용할 수 있다.
예 동생이 청소하는 동안 저는 숙제를 했어요. (○)
② 동사와 결합 시 행위가 시작과 동시에 순간적으로 끝나는 동사와의 결합은 자연스럽지 않다.
예) 의자에 앉는 동안 머리가 아팠어요. (×)

- 추가 예문
1시간 동안 운동했어요.
얼마 동안 기다려야 해요?
방학 동안 여행하려고 해요.

발음	비음화	98쪽

□ 'ㄱ', 'ㄷ', 'ㅂ' 뒤에 비음 'ㄴ'이나 'ㅁ'이 올 때, 'ㄱ', 'ㄷ', 'ㅂ'이 비음의 조음 방식에 동화되어 조음 위치가 동일한 'ㅇ', 'ㄴ', 'ㅁ'으로 발음되는데 이를 비음화라고 한다.
이 단원에서는 [ㄱ] 뒤에 자음 'ㄴ'이 오면 [ㄱ]이 [ㅇ]으로 바뀌는 현상을 다루고 있다. 장애음이 비음 앞에 있을 때 잘 발음하기가 어렵기 때문에 비음 앞의 장애음을 비음으로 바꾸어 발음을 쉽게 할 수 있도록 하는 것이다.

□ [기본 교재]에 제시된 문장 외에도 아래 문장으로 더 연습할 수 있다.
예 저기 책을 읽는 사람이 수지 씨예요./어제 사진 잘 찍는 방법을 배웠어요./국내 여행을 좋아해요?

활동	한국 여행/ 여행 동아리에 질문하기	98~99쪽

□ '활동 2'의 2번 문항에서는 비슷한 곳에 가고 싶어 하는 학생끼리 짝을 지어 같이 써 보게 할 수도 있다. 또는 여행사처럼 나라들을 정해 자리를 마련해 놓고 여행사 직원과 여행 가는 사람의 역할을 나누어 맡아 여행 계획을 상담하는 활동도 해 볼 수 있다.

더하기 활동 | 48쪽, 1번

□ 대답을 먼저 듣고 질문을 추측해 보는 활동으로 1-2)번에서 여러 번 들으며 키워드를 메모하도록 하면 좋다.

더하기 활동 | 49쪽, 1번

□ 12과 쓰기 활동 준비로 숙소나 식당 후기를 더 찾아보고 어떤 내용을 주로 쓰는지(위치, 서비스, 가격, 맛 등) 키워드와 내용을 정리해 보게 할 수 있다.

2A 12

박물관에서 도장을 만들어 봤어요

어휘와 표현	여행 경험	103쪽

□ 1번 '여행지에서 하는 행동', 2번 '여행지 평가'로 나누어 어휘의 뜻을 익힐 수 있게 한다.

더하기 활동 | **50쪽, 2번**

□ 여행지에서 무엇을 했는지, 또 어땠는지를 모두 이야기하도록 한다.

예 저는 제주도에서 여행을 한 적이 있어요. 제주도는 경치가 아름답고 구경거리가 많았어요. 한라산에도 가고 멋있는 카페에서 커피도 마셨어요. 친구들에게 주려고 기념품도 샀어요.

문법 1	-아/어 보다	104쪽

□ 본 단원의 문법(-아/어 보다, -(으)ㄴ) 중 '-(으)ㄴ'은 의미와 형태를 익히는 데 시간이 필요하여 교수 부담이 높은 항목이므로 교수·학습 시간이 더 필요할 수 있다.

□ **도입**

104쪽 (책의 그림을 가리키며)
유진과 안나가 안나의 한국 여행 이야기를 해요. 유진이 질문해요. '한국 여행 가서 뭐 했어요?' 안나는 뭐 했어요? (박물관에 갔어요, 박물관에서 구경했어요.)
네. 안나는 한국에서 특별한 일을 했어요.
→ (칠판에 판서) 안나는 서울에서 박물관에 가 봤어요.

□ **설명**

- 의미: 동사에 붙어 경험한 일이나 시도해 본 일을 나타낼 때 사용한다. 여행이나 취미 같이 어떤 특별한 경험을 말할 때 주로 사용한다.

- 여러분, 여행 좋아해요? 혹시 한국을 여행했어요? (네. / 아니요.) 네. ○○ 씨는 한국 여행을 했어요. 그런데 우리가 매일 여행을 해요? (아니요.) 네. 여행을 가는 것은 특별한 일이에요. 우리가 이런 특별한 경험을 이야기할 때 이렇게 말해요.
  (칠판에 판서) '한국 여행을 해 봤어요.'
- ○○ 씨, 한국에서 뭘 했어요? (김치를 먹었어요, 홍대에 갔어요.) 네. 이것도 한국에서 할 수 있는 특별한 경험이에요. 이런 특별한 경험을 이렇게 말할 수 있어요.
  (칠판에 판서) 한국에서 김치를 먹어 봤어요. / 한국에서 홍대에 가 봤어요.
- '-아/어 보다'는 이렇게 '뭘 했어요?', '김치를 먹었어요.', '홍대에 갔어요.', 이런 경험을 이야기할 때 사용해요. 여행, 취미 같이 특별한 일을 이야기할 때 많이 사용해요.

- 형태

동사	
ㅏ, ㅗ -아 봤어요 찾아 봤어요, 가 봤어요, 만나 봤어요, 와 봤어요 ㅏ, ㅗ 이외 -어 봤어요 먹어 봤어요, 마셔 봤어요, 배워 봤어요 하다 해 봤어요 해 봤어요, 운동해 봤어요, 공부해 봤어요	탈락 / 불규칙 • 쓰다 → 써 봤어요 • 듣다 → 들어 봤어요 (규칙: 받다 → 받아 봤어요) • 젓다 → 저어 봤어요 (규칙: 씻다 → 씻어 봤어요)

- 문장 구성

① '-아/어 보다'에 '-(으)ㄴ 적이 있다'를 결합하여 '-아/어 본 적이 있다'의 구성으로 사용할 수도 있다. 이렇게 사용하면 경험의 의미를 강조할 수 있다.
예 불고기를 먹어 본 적이 있어요.

② 부정문은 '-아/어 보지 않다', '안 -아/어 보다'로 쓸 수 있는데 구어에서는 주로 '안 -아/어 보다'로 이야기한다.

예 이 옷을 안 입어 봤어요. (○) / 이 옷을 입어 보지 않았어요. (○) / 이 옷을 입어 안 봤어요. (×)

- 제약

① 일상적으로 하는 행위에는 쓰지 않는다.

예 저는 아침 식사를 해 봤어요. (×) / 저는 한국에서 전통 음식을 먹어 봤어요. (○)

② 형용사와 결합하지 않는다.

예 배가 아파 봤어요. (×)

③ 동사 '보다'와 결합하면 '보다' 형태가 중복돼 어색해지기 때문에 '봐 보다'는 사용하지 않는다.

예 한국 영화를 봐 봤어요. (×)

- 유사 문법

-아 / 어 봤어요	-(으)ㄴ 적이 있어요
과거의 경험을 나타낸다.	
의도한 경험이 아닌 상황에서는 잘 사용되지 않는다. 예 지갑을 잃어버려 봤어요. (×)	이전에 경험해 보지 못한 일을 경험한 상황에서 사용된다. 의도하지 않은 상황에 대해서도 자유롭게 사용할 수 있다. 예 지갑을 잃어버린 적이 있어요.
경험을 나타낼 때는 '-아 / 어 봤다'의 형태로 많이 쓴다. 현재나 미래형으로 쓰면 시도의 의미가 주로 나타난다. 예 ① 가: 홍대에 가 봤어요? (경험) 나: 네. 홍대에 가 봤어요. (경험) ② 가: 홍대에 한번 가 보세요. (시도) 나: 네. 저도 가 보고 싶어요. (시도)	'적'은 때나 시기를 나타내는 의존명사로 '-아 / 어 보다'보다 경험을 강조할 때 사용한다. 예 한국에서 홍대에 간 적이 있어요.

- 추가 예문

저는 외국에서 살아 봤어요.

한국에서 운전을 해 봤어요?

친구가 학교에 안 와서 전화해 봤어요.

문법 2	-(으)ㄴ	105쪽

□ 도입

105쪽 (책의 그림을 가리키며)
안나 씨가 한국 여행을 하면서 한국 사람들을 많이 만났어요. 그림의 이 사람한테는 길을 물어봤어요. 이 사람은 어떤 거 같아요? (친절한 것 같아요.) 네. 친절하게 길을 말하는 것 같아요. 안나 씨가 한국에서 사람을 만났어요. 그 사람이 친절했어요.
→ (칠판에 판서) 한국에서 만난 사람들이 모두 친절했어요.

□ 설명

- 의미: 동사에 붙어 그 동작이나 행위가 과거에 일어났거나 완료된 행위가 유지되고 있음을 나타낸다. 앞에 오는 동사를 관형사형으로 바꾸어 뒤에 오는 명사를 수식할 때 사용한다.

(도입에서 연결한다.)

- 여러분도 여행을 가면 그 나라 사람들을 만날 때가 있지요? 많이 만나 봤어요? 사람들이 어땠어요? (친절했어요, 재미있었어요, 멋있었어요) 네. 여행을 가서 사람들을 만났어요. 그 사람들이 재미있었어요. 이렇게 말해요.
  (칠판에 판서) '한국 / 베트남 / 아프리카에서 만난 사람들이 재미있었어요.'
- ○○ 씨, 어제 저녁에 뭘 먹었어요? (빵을 먹었어요.) 네. ○○ 씨가 어제 저녁에 음식을 먹었어요. 그 음식은 빵이에요. 이렇게 이야기해요.
  (칠판에 판서) '어제 저녁에 먹은 음식은 빵이에요.'
- 여러분, 그런데 지금 ○○ 씨가 음식을 먹어요. 그 음식이 빵이에요. 이건 어떻게 이야기하죠? (○○ 씨가 먹는 음식은 빵이에요.) 네. 지금 있는 일은 우리가 '먹는' 이라고 이야기해요. 그런데 어제, 지난주, 지난달 이렇게 과거의 일을 명사와 함께 이야기할 때는 '-(으)ㄴ'을 사용해요.

- 형태

동사	
받침 ○ -은 먹은, 읽은, 찍은, 찾은 받침 × -ㄴ 간, 본, 만난, 준, 쓴	탈락 / 불규칙 • 만들다 → 만든 • 듣다 → 들은 (규칙: 받다 → 받은) • 짓다 → 지은 (규칙: 씻다 → 씻은)

- 추가 예문
  어제 산 구두가 작아요.
  제가 만든 케이크를 먹어 보세요.
  지난 주말에 본 영화가 재미있었어요.

활동	한국 여행 경험 / 여행지에서 쓰는 편지	106~107쪽

□ '활동 2'의 2번에서는 읽기 지문과 같이 현재 그 여행지에 있는 것처럼 편지를 써 볼 수도 있다. 또 글을 쓴 후 교실 벽에 게시하여 다 같이 읽어 보고 가 보고 싶은 여행지를 고르는 활동을 해 볼 수도 있다.

더하기 활동 | 52쪽, 2번

□ 점수를 체크해 본 후 모든 학생들의 결과를 모아 항목별로 점수가 높은 곳을 발표해 볼 수 있다. 이를 가지고 항목별 가이드북을 만드는 등 추천 여행지를 정리해 보는 활동을 해 볼 수도 있다.

더하기 활동 | 53쪽, 1번

□ 각자 숙소나 식당에 대한 후기를 쓴 뒤 게시할 수 있다. 돌아가며 모든 친구들의 후기를 읽어 본 후 가장 가 보고 싶은 숙소나 식당을 뽑아 볼 수도 있다.

이번 주 금요일에 동아리 모임 할래요?

어휘와 표현	모임 준비	15쪽

□ [기본 교재] 1, 3번 문항의 활동을 팀으로 해 본 후 팀을 바꾸어 [더하기 활동 교재] 1번 문항과 연계하여 말하기 연습을 할 수도 있다.

문법 1	-(으)ㄹ래요?	16쪽

□ 본 단원의 문법 '-(으)ㄹ래요?'는 이 단원에서는 질문에 초점을 두고 있지만 질문과 대답에 모두 사용될 수 있으므로 질문의 기능을 익힌 후 확장해 연습을 할 수도 있다.
'-(으)ㄹ게요'는 학습자들이 유사 문법과 차이를 정확하게 인지하지 못하고 사용하는 경우가 많아 학습자 오류가 많다. 따라서 교수·학습 및 연습 시간이 더 필요할 수 있다.

□ **도입**

> 16쪽
> 여러분에게 콘서트 표가 2장 있으면 누구와 같이 갈 거예요? (친구 / 가족 이름)
> (책의 그림을 가리키며) 네. 안나 씨에게 콘서트 표가 두 장 있어요. 친구하고 같이 가고 싶어요. 어떻게 말할까요? (같이 가요. / 같이 갈까요?)
> 네. 친구가 콘서트에 같이 가고 싶어 할까요? 잘 몰라요. 친구 생각을 알고 싶어요. 이렇게 질문할 수 있어요.
> → (칠판에 판서) 콘서트 표가 두 장 있는데 같이 갈래요?

□ 설명

- 의미: 어떤 일을 할 의사나 의향, 계획이 있는지 물어볼 때 사용한다. 주로 비격식적인 구어에서 많이 사용한다.

(도입에서 연결한다.)
- 안나 씨는 친구하고 콘서트에 같이 가고 싶은데 친구는 생각이 어떨까요? 콘서트에 가고 싶을까요? 가려고 할까요? (몰라요.) 네. 몰라요. 그래서 안나 씨가 질문해요.
  (칠판에 판서) 콘서트 표가 두 장 있는데 같이 갈래요?
- 친구하고 밥을 먹으러 식당에 갔어요. 저는 비빔밥이 먹고 싶어요. 그런데 친구는 뭘 먹고 싶어 할까요? 비빔밥을 같이 먹고 싶어 할까요? 몰라요. 그럼 이렇게 친구에게 물어볼 수 있어요.
  (칠판에 판서) 뭐 먹을래요? 저는 비빔밥 먹고 싶은데 같이 비빔밥 먹을래요?
- 이렇게 '-(으)ㄹ래요?'는 다른 사람이 어떤 일을 할 생각이나 계획이 있는지 물어볼 때 사용해요. 말을 할 때 많이 사용하고 보통 친구나 친한 사람하고 이야기할 때 사용해요.

- 형태

동사	
받침 ○ -을래요? 먹을래요? 읽을래요? 앉을래요? 받침 × -ㄹ래요? 갈래요? 마실래요? 운동할래요?	탈락 / 불규칙 •만들다 → 만들래요? •듣다 → 들을래요? (규칙: 받다 → 받을래요?) •짓다 → 지을래요? (규칙: 씻다 → 씻을래요?)

☆ '-(으)ㄹ래요?'는 어떤 일을 할 의사나 의향이 있음을 서술하는 종결어미로도 쓰일 수 있다. 동사에 붙어 말하는 사람이 듣는 사람에게 앞으로 할 일에 대해 자신의 의사를 밝혀 말할 때 사용한다. 이렇게 사용될 시에는 주어는 1인칭만 사용한다.

예 가: 뭐 마실래요? 나: 저는 콜라 마실래요.

- 제약: '-(으)ㄹ래요?'는 '-(으)ㄹ래'에 '-요'가 붙어 높임 표현 '-(으)ㄹ래요?'가 되지만 '-요'가 구어에서 많이 쓰는 비격식체의 말이므로 정중한 느낌을 주지 못한다.

- 추가 예문
  오늘 수업 끝나고 같이 밥 먹을래요?
  한국 음식을 같이 만들어 볼래요?
  저는 주스를 마시려고 하는데 마리 씨는 뭐 마실래요?

문법 2	-(으)ㄹ게요	17쪽

□ 도입

17쪽 (책의 그림을 가리키며)
한국 문화 발표를 해야 해요. 여러분 중에 발표하고 싶은 사람이 있어요? (네. / 아니요.) 그림을 보세요. 발표하고 싶어 하는 학생이 있어요. 이 학생이 손을 들고 말해요.
→ (칠판에 판서) 제가 발표할게요!

□ 설명

- 의미: 말하는 사람이 미래의 어떤 일을 하겠다는 뜻이나 의지를 나타낼 때 사용한다. 또 약속을 할 때도 사용한다.

(도입에서 연결한다.)
- 발표를 해야 해요. 그런데 누가 할까요? 선생님이 '누가 발표할래요?'라고 물어봤어요. 이 남학생이 발표를 하려고 해요. 그래서 '제가 발표할게요.'라고 말했어요.
- 이렇게 '-(으)ㄹ게요'는 어떤 일을 하려는 생각이 있을 때, 하려고 할 때 사용할 수 있어요. 또 약속을 할 때도 사용할 수 있어요.
- 어떤 학생이 숙제를 계속 안 해요. 그럼 선생님이 그 학생에게 '○○ 씨, 숙제를 꼭 해야 돼요. 내일부터 숙제를 꼭 하세요.'라고 말할 거예요. 그럼 그 학생이 어떻게 말할까요? (네. 알겠습니다.) 네. 선생님하고 '숙제해요. '약속해요.' 이렇게 말해요.
  (칠판에 판서) 네. 내일부터 숙제를 할게요.

- 형태

동사	
받침 ○ -을게요 먹을게요, 읽을게요, 앉을게요, 찾을게요 받침 × -ㄹ게요 갈게요, 볼게요, 마실게요, 운동할게요	탈락 / 불규칙 •만들다 → 만들게요 •듣다 → 들을게요 (규칙: 닫다 → 닫을게요) •젓다 → 저을게요 (규칙: 씻다 → 씻을게요)

☆ 발음은 [(으)ㄹ께요]로 하지만 동사 어간에 '-(으)ㄹ게요'가 붙은 형태이므로 '먹을게요', '갈게요'와 같이 쓰도록 주의해야 한다.

- 문장 구성: 부정문은 '-지 않을게요'로 쓰거나 '안 -(으)ㄹ게요'로 쓴다. 구어에서는 '안 -(으)ㄹ게요'의 형태로 자주 쓴다.
  예 라면을 안 먹을게요. (○) / 라면을 먹지 않을게요. (○)
- 제약
  ① 형용사와 결합하지 않는다.
  예 내일부터 제가 바쁠게요. (×)

② 상태나 성질을 나타내는 동사는 의지나 약속에 사용할 수 없기 때문에 '-(으) ㄹ게요'와 결합하지 않는다.

예 저는 한국어를 잘 모를게요. (×)/저는 영화를 좋아할게요. (×)

③ '-(으) ㄹ게요'는 의지나 약속을 나타내므로 '나'가 아닌 다른 사람(2, 3인칭)의 의지를 나타낼 때 사용할 수 없다.

예 제가 밥을 살게요. (○) / 마리 씨가 밥을 살게요. (×)

④ 의지나 약속을 나타내므로 의문문으로는 사용하지 않는다.

예 제가 김밥을 만들게요. (○) / 제가 김밥을 만들게요? (×)

- 유사 문법

-(으) ㄹ게요	-(으) ㄹ 거예요
미래에 할 행동을 나타낸다.	
- 대화를 하는 상대방과 약속을 하는 의미로 많이 사용되며, 말하는 사람의 의지를 표현한다. 예 가: 내일은 학교에 일찍 오세요. 나: 네. 일찍 올게요. → '가'가 학교에 일찍 오라고 했기 때문에 '가'와 약속을 하는 의미로 '일찍 올게요.'라고 대답할 수 있다.	- 단순 미래나 계획을 이야기하거나 자신이 이미 결심한 사실을 이야기할 때 많이 사용된다. 예 가: 내일은 언제 학교에 갈 거예요? 나: 내일은 학교에 일찍 갈 거예요. → '나'가 내일 학교에 일찍 가겠다는 것은 '가'와 약속을 하거나 '가'와의 관계를 생각해서 한 결심은 아니라고 볼 수 있으며 '나'의 개인적인 결심 또는 계획으로 볼 수 있다.

- 추가 예문

저는 불고기를 먹을게요.

제가 나중에 전화할게요.

내일은 늦지 않을게요.

발음	비음화	18쪽

□ 음절의 끝소리 규칙에 의해 'ㅆ'은 받침에 오면 [ㄷ]으로 발음된다. 'ㄷ' 뒤에 비음 'ㄴ'이 오면 'ㄷ'은 조음 위치가 동일한 비음 [ㄴ]으로 바뀌어 발음된다.

□ [기본 교재]에 제시된 문장 외에도 아래 문장으로 더 연습할 수 있다.

예 어제 떡볶이를 먹었는데 맛있었어요. / 어제 한국 영화를 봤는데 재미있었어요. / 지금 시간이 좀 있는데 같이 밥 먹을래요?

활동	동아리 모임 준비 / 모임 초대	18~19쪽

□ '활동 2'의 1-2)번은 각자 하고 싶은 모임을 생각해 보게 한 뒤 이야기해 보고 비슷한 모임을 하고 싶어 하는 학생들끼리 모여서 더 자세히 말해볼 수 있다.

□ '활동 2'의 2번의 경우 비슷한 모임을 하고 싶어 하는 학생들이 모여 쓰기 활동을 같이 할 수도 있다. 그리고 실제로 이메일을 반 친구들에게 보내 보고 답장을 쓰게 할 수도 있다. [더하기 활동 교재]의 '읽고 쓰기'와 연계하여 모임을 안내하는 글을 쓴다면 어떤 내용을 더 쓸 수 있을지 생각해 보게 할 수도 있다.

2B 02

세종학당에서부터 걸어서 10분쯤 걸려요

어휘와 표현	이동 방법	23쪽

□ [기본 교재] 1, 2번 문항과 연계하여 [더하기 활동 교재] 1번 문항에서 종합적으로 어휘를 연습할 수 있다. 그런데 [기본 교재] 1번과 같이 명사만 제시하면 [더하기 활동 교재]에서 말하기 활동을 하기 어려울 수 있으므로 '육교를 건너다', '횡단보도를 건너다', '사거리가 있다/사거리를 건너다' 등과 같이 표현을 제시해 주는 것도 좋다.

더하기 활동 | 10쪽, 1번

□ 두 명이 한 팀으로 활동카드를 참고하여 특정 장소에 가는 길을 묻고 답하는 활동이다. '가'는 활동카드를 보고 '나'에게 카페와 지하철역에 가는 길을 설명해 주고 '나'는 '가'에게 식당과 영화관에 가는 길을 설명해 줄 수 있다. 활동카드의 빈칸을 먼저 채워 본 후 친구와 이야기해 볼 수 있다.

더하기 활동 | 10쪽, 2번

□ 좋아하는 장소까지 어떻게 가는지를 그림으로 먼저 그려 보고 보면서 설명하게 할 수도 있다. 또는 친구의 설명을 들으면서 그림을 그려 지도를 만들어 볼 수도 있다.

문법 1	에서부터	24쪽

□ 본 단원의 문법(에서부터, -(으)ㄹ) 중 '-(으)ㄹ'은 형태와 의미를 익히는 데 시간이 다소 필요하며 학습자들이 앞에서 배운 '-는', '-(으)ㄴ'과 구별하여 사용하는 부분에서도 어려움을 겪는 경우가 있다. 따라서 교수·학습 시간이 더 필요할 수 있다.

□ **도입**

> 24쪽 (책의 그림을 가리키며)
> 안나 씨가 걷고 있어요. 그런데 좀 피곤한 것 같아요. 어디에 가는 걸까요? (학교에 가요. / 친구 집에 가요.) 네. 그림을 보니 학교에 가는 거 같아요. 그런데 어디에서 출발해서 걸어온 것 같아요? (집에서 출발한 것 같아요.) 네. 안나 씨는 집에서 출발했어요. 그리고 학교까지 먼 길을 걸어왔어요.
> → (칠판에 판서) 안나 씨는 집에서부터 걸어왔어요.

□ **설명**

- 의미: 명사에 붙어 어떤 행위나 상태가 시작되는 장소를 나타낸다. 조사 '에서'와 '부터'가 합쳐져 어떤 행위나 상태가 시작된 장소를 강조하고 싶을 때 주로 사용한다.

> (도입에서 연결한다.)
> - 여러분, 책의 그림을 보면 안나 씨 학교에서 집까지 가까워요? (아니요. 멀어요.)
>   멀지요? 와, 먼데 집에서 출발해서 걸어왔어요. '어디에서 출발했어요?' 이것을 강하게 ('강하게'를 말할 때 목소리를 더 크게 하거나 강조하는 듯한 몸짓을 할 수 있음.) 이야기하고 싶어요. 그럴 때 '집에서부터 걸어왔어요.'라고 말할 수 있어요.
> - 여러분, 혹시 한국의 부산 알아요? (네. / 아니요.) (칠판에 한국 지도를 그려서 부산과 서울의 위치를 찍어 줌.) 부산과 서울이 여기에 있어요. 멀죠? 그런데 예전에 제 친구가 부산에서 출발해서 자전거를 타고 서울까지 왔어요. '부산'에서 출발해서 이렇게 멀리 온 것을 강하게 말하고 싶어요. 그럼 이렇게 말할 수 있어요.
>   (칠판에 판서) 부산에서부터 서울까지 자전거를 타고 왔어요.
> - '에서부터'는 이렇게 어떤 일이 시작된 장소를 강하게 이야기하고 싶을 때 많이 사용해요.
> - 질문할 때는 '어디'하고 '에서부터'를 같이 말할 수 있어요. 친구가 '오늘 많이 걸었어요.'라고 말하면 이렇게 질문할 수 있어요.
>   (칠판에 판서) 어디에서부터 걸었어요?

- 형태: 명사와 결합하며 받침 유무에 관계없이 '에서부터'를 쓴다.
  예 집에서부터, 도서관에서부터, 한국에서부터, 제주도에서부터, 학교에서부터, 회사에서부터
- 참고: 어떤 상황이 일어나는 시간의 시작점을 나타낼 때도 사용할 수 있다. 그러나 주로 장소의 시작점을 나타낼 때 많이 사용된다.
  예 저는 매일 1시에서부터 3시까지 한국어를 공부해요.
- 확장: '에서부터'를 줄여서 '서부터'로 사용할 수 있다. 주로 구어에서 이렇게 사용한다.
  예 안나 씨는 서울에서부터 제주도까지 비행기를 타고 갔어요.
  = 안나 씨는 서울서부터 제주도까지 비행기를 타고 갔어요.
- 추가 예문
  한국에서부터 유럽까지 여행을 해 보고 싶어요.
  저기에서부터 여기까지 청소를 했어요.
  회사에서부터 친구하고 같이 이야기하면서 식당에 갔어요.

더하기 활동 | 11쪽, 1번

□ 시작점을 어디로 잡느냐에 따라 복수 응답이 나올 수 있는 문항이므로 상황을 생각하면서 여러 문장을 만들어 보도록 한다.

문법 2	-(으)ㄹ	25쪽

□ 도입

25쪽 (책의 그림을 가리키며)
내일 유진 씨 친구 생일 파티가 있어요. 그래서 유진 씨가 내일 친구에게 주려고 선물을 샀어요. 그런데 다른 친구가 그것을 보고 '그게 뭐예요?'라고 물어봤어요.
이럴 때는 어떻게 말을 할까요? (친구 선물이에요. / 내일 줄 거예요. / 친구 생일 파티가 있어요.) 네. 이거는 친구 선물이에요. 내일 친구에게 줄 거예요.
→ (칠판에 판서) 친구에게 줄 선물이에요.

□ 설명

- 의미: 동사와 결합하여 미래에 일어날 상황이나 예정, 의도를 나타낼 때 사용한다. '-(으)ㄹ' 앞에 오는 동사를 관형사형으로 바꾸어 뒤에 오는 명사를 수식할 때 사용한다.

• 제가 내일 아침에 먹으려고 사과를 샀어요. 그런데 룸메이트가 사과 봉투를 보고 '이게 뭐예요? 과일 샀어요?'라고 물어봤어요. 그럼 어떻게 이야기할까요? (네. 사과예요. / 내일 아침에 먹을 거예요.) 네. 좋아요. '사과'하고 같이 말하면 이렇게 이야기할 수 있어요.
(칠판에 판서) 내일 아침에 먹을 사과예요.

• 여러분, 이 사과를 어제 먹었어요? (아니요.) 그럼 지금 먹어요? (아니요. 내일 먹을 거예요.) 맞아요. 어제 먹은 사과가 아니에요. 지금 먹는 사과가 아니에요. 내일 먹을 거예요. 내일 먹을 사과예요. (칠판에 '어제 먹은 사과', '지금 먹는 사과', '내일 먹을 사과'를 판서하고 설명할 수 있음.)
• 내일 나나 씨하고 만나서 영화를 보기로 했어요. 그런데 다른 친구가 '내일 친구를 만나요? 누구를 만나요?' 이렇게 물어봤어요. 그럼 어떻게 말할까요? (나나 씨를 만날 거예요.) 네. '친구'하고 같이 말하면 이렇게도 말할 수 있어요.
(칠판에 판서) 내일 만날 친구는 나나 씨예요.
• 이렇게 '-(으)ㄹ'은 조금 이따, 내일, 주말, 다음 주 등 미래에 하려고 하는 일이나 일어날 상황을 명사와 같이 이야기할 때 사용해요.

- 형태

동사	
받침 ○ -을 먹을, 읽을, 찍을, 찾을 받침 × -ㄹ 볼, 갈, 만날, 살	탈락 / 불규칙 •만들다 → 만들 •듣다 → 들을 (규칙: 받다 → 받을) •짓다 → 지을 (규칙: 씻다 → 씻을)

- 확장: '-(으)ㄹ' 뒤에 '일, 때, 뿐' 등이 붙을 때는 시제 의미 없이 뒤에 오는 명사를 꾸며 주는 기능을 한다.
  예 저는 병원에 갈 일이 없어요.
  사람들 앞에서 발표할 때는 큰 소리로 말해야 해요.
  그 일은 제 실수일 뿐이에요.
- 추가 예문
  이번에 여행갈 곳은 제주도예요.
  이 책은 다음 학기부터 공부할 책이에요.
  내일 탈 버스는 16번 버스예요.

더하기 활동 | 11쪽, 2번

□ 짝과 함께 알맞은 어휘를 찾아 문장을 만들고 이야기해 본 후, 전체 반 학생들을 대상으로 무작위로 질문을 해 볼 수 있다.
  예 가: ○○ 씨, 내일 볼 영화가 뭐예요?
  나: 영화 □□를 볼 거예요. / 내일 영화를 안 볼 거예요.

활동	하나 카페에 가는 방법 / 한글날 행사 안내	26 ~ 27쪽

□ '활동 2'에서는 '이동 방법'이 그림으로 제시되어 있는데 글을 읽은 후 내용 확인 활동을 하면서 학습자들에게 말로 길을 설명해 보게 할 수 있다.

□ 다른 과와 달리 이 과에서는 2번의 쓰기 활동에서 요구하는 바가 주어진 읽기 텍스트와 형식과 내용이 다르므로 교사와 함께 쓸 내용을 미리 같이 이야기를 해 보고 써 보는 것도 좋다. 또는 교사가 학생들의 글을 체크해 주거나 다음과 같은 예시나 답안을 참고할 수 있다.

예 선생님, 안녕하세요? 저는 마리예요. 한글날 행사가 정말 재미있을 것 같아요. 그런데 제가 그날 다른 일이 있어서 3시부터 행사에 참석할 수 있을 것 같은데 괜찮을까요? 그리고 몇 시간 동안 행사를 해요? 행사를 끝까지 보고 싶은데 저녁에 일이 있어서 궁금해요. 감사합니다.

더하기 활동 | **13쪽, 2번**

□ 같은 분야에 관심이 있는 학습자들이 모여 하나의 동아리를 만들었다고 가정하고 같이 쓰기 활동을 해 볼 수 있다. 모임 안내 글을 다 쓴 후에는 게시하여 어떤 동아리 모임에 가장 가 보고 싶은지 뽑아볼 수 있다.

할머니께서 직접 만드신 목걸이예요

어휘와 표현	선물	31쪽

□ [기본 교재] 1번 문항에서 '선물을 고르다'부터 '선물을 꺼내다'까지 이어지는 이야기로 설명을 할 수도 있다. 그리고 [더하기 활동 교재] 1번에서 순서를 확인해 볼 수 있다.

□ [더하기 활동 교재] 2번에서 팀별로 반응이 좋았던 선물을 이야기해 보고 정리해서 좋은 선물 목록을 만들어 볼 수도 있다.

예 부모님이 좋아하는 선물, 남자/여자 친구에게 하면 좋은 선물, 크리스마스에 좋은 선물 등

문법 1	-(으)시-	32쪽

□ 본 단원의 문법(-(으)시-, 에게만, 에게도) 중 '-(으)시-'는 형태를 익히는 데 시간이 필요하여 교수 부담이 높은 항목이므로 교수·학습 시간이 더 필요할 수 있다.

□ **도입**

32쪽 (책의 그림을 가리키며)
주노 씨하고 안나 씨가 안나 씨의 가족 이야기를 해요. 그런데 주노 씨가 안나 씨 어머니 직업을 물어봐요. 우리가 다른 사람 직업을 물어볼 때 어떻게 이야기를 할까요? (직업이 뭐예요? / 무슨 일을 해요?) 네. 맞아요. 그런데 '어머니' 직업을 물어보려고 주노 씨가 이렇게 이야기했어요.
→ (칠판에 판서) 어머니는 무슨 일을 하세요?

□ **설명**

- 의미: 동사, 형용사, 명사와 결합하여 문장의 주어가 하는 행동이나 상태를 높여서 말할 때 사용한다.

(도입에서 연결한다.)

- 우리가 친구의 직업을 물어볼 때는 '무슨 일을 해요?'도 괜찮아요. 그런데 어머니 이야기를 물어볼 때는 '무슨 일을 하세요?' 이렇게 이야기를 해야 돼요. 또 그림을 보세요. 안나 씨 어머니는 직업이 무엇인 것 같아요? (회사원인 것 같아요.) 네. 안나 씨 어머니가 회사원이에요. 이것을 안나 씨가 어떻게 말해요? (회사에 다니세요.)
  네. 이렇게 말했어요. (칠판에 판서) '회사에 다니세요.'
- 제 이야기를 하거나 친구 이야기를 해요. 그럼 (칠판에 판서) '저는 회사에 다녀요.' 이렇게 말해요. 그런데 어머니, 아버지, 할머니, 할아버지 이야기를 할 때는 (칠판에 판서) '회사에 다니세요.' 이렇게 말해요.
- 우리보다 나이가 많거나 회사에서 만나는 높은 분 이야기를 할 때는 동사나 형용사에 '-(으)시-'를 넣어서 이야기해요. 나보다 높은 분이니까 그런 분들이 하는 일을 높여서 이야기해요.
- 그런데 '-(으)시-'하고 '-아요 / 어요'를 같이 말하면 '-(으)세요'로 이야기해요. 그래서 '회사에 다니다'를 '회사에 다니세요' 이렇게 말해요.
- 하나 더 말해 볼게요. 저는 요리를 안 좋아해요. 잘 못해요. 그런데 우리 아버지는 요리를 좋아해요. 자, 아버지는 저보다 나이가 많은 분이죠? 그럼 '좋아해요.'라고 말하지 않아요. 어떻게 말해야 될까요? (좋아하세요.)
  네. 이렇게 말해요. (칠판에 판서) '우리 아버지는 요리를 좋아하세요.'

- 형태

동사	형용사
받침 ○ -으시 읽으시다, 찾으시다, 앉으시다 받침 × -시 보시다, 가시다, 만나시다	받침 ○ -으시 많으시다, 작으시다, 재미있으시다 받침 × -시 친절하시다, 크시다, 예쁘시다

명사+이다	탈락 / 불규칙
-이시 선생님이시다, 회사원이시다, 사장님이시다 -시 의사시다, 요리사시다, 기자시다	• 만들다 → 만드시다 • 듣다 → 들으시다 (규칙: 받다 → 받으시다) • 무섭다 → 무서우시다 (규칙: 입다 → 입으시다)

☆ 주어를 높여 말할 때 주격 조사 '이 / 가'를 높여 '께서'로 말할 수 있다.

예 아버지께서 회사원이세요.

☆ 아래와 같이 높임을 표현할 때 형태가 완전히 다른 어휘들도 있다.

사람 → 분	이름 → 성함
집 → 댁	먹다, 마시다 → 드시다
자다 → 주무시다	있다 → 계시다
죽다 → 돌아가시다	주다 → 주시다 / 드리다

- '주다'의 경우 '주시다'와 '드리다' 두 가지 형태로 높임 표현이 나타나는데 말하는 대상을 높이는 경우에는 '주시다'를 사용하고, 받는 대상을 높이는 경우에는 '드리다'를 사용한다.

예 어머니께서 저에게 선물을 주셨어요. / 저는 어머니께 선물을 드렸어요.

- 추가 예문

할아버지께서 책을 읽으세요.

어머니께서 운동하세요.

할머니께서는 지금 주무세요.

더하기 활동 | **15쪽, 1번**

□ 이 활동을 하기 위해서는 위의 표에 제시된 형태가 완전히 다른 높임 표현 어휘들을 먼저 익혀야 한다. 위의 표 내용의 일부가 [더하기 활동 교재]의 '읽고 쓰기' 3번에 제시되어 있어 그 페이지에서 먼저 어휘를 익히고 활동을 할 수 있다.

문법 2 | 에게만, 에게도 | 33쪽

□ **도입**

33쪽 (책의 그림을 가리키며)

여기 친구들이 모여 있어요. 그런데 편지를 받은 친구가 있어요. 누가 편지를 받았어요? (유진 씨요.) 네. 안나 씨가 유진 씨에게 편지를 줬어요. 그런데 유진 씨는 줬는데 다른 친구는 안 줬어요. 이때 이렇게 말할 수 있어요.

→ (칠판에 판서) 안나 씨가 유진 씨에게만 편지를 줬어요.

오른쪽 그림을 보세요. 주노 씨도 편지를 받았어요. 안나 씨가 또 편지를 줬어요.
이건 어떻게 말할까요? (주노 씨도 편지를 줬어요.)
→ 네. (칠판에 판서) 안나 씨가 주노 씨에게도 편지를 줬어요.

□ 설명

- 의미: '에게만'은 '에게'에 '만'을 결합한 표현으로 행동을 미치는 대상이 어떤 특정한 사람 한 명일 때 사용한다. '에게도'는 '에게'에 '도'를 결합한 표현으로 특정한 한 사람 외에 또 행동을 미치는 다른 대상이 있는 경우에 사용한다.

- 여러분, 저는 직업이 뭐지요? (한국어 선생님이에요.) 네. 맞아요. 저는 한국어 선생님이에요. 그런데 지금 우리 반에 또 한국어 선생님이 있어요? (없어요.) 네. 없어요. 여러분은 모두 학생이에요. 저 혼자 선생님이에요. 그럼 (칠판에 판서) '저만 선생님이에요.'라고 말해요. '만'은 명사 뒤에 쓰는데요. 다른 것을 빼고, 어떤 하나를 선택해서 말할 때 사용해요. 우리 반에서 저만 선생님이에요. 그리고 저만 시험을 안 봐요. 여러분은 모두 학생이에요. 시험을 봐야 돼요.
- 여기 책이 있어요. 히엔 씨가 나나 씨에게 (학생 중 두 명을 골라 한 학생이 다른 학생에게 책을 주는 것처럼 행동을 한다.) 책을 줬어요. 이것을 어떻게 말해요? (히엔 씨가 나나 씨에게/한테 책을 줬어요.) 네. '히엔 씨가 나나 씨에게 책을 줬어요.' 말하지요? 그런데 다른 친구는 안 줬어요. 나나 씨만 줬어요. 그럼 이렇게 말해요. (칠판에 판서) 히엔 씨가 나나 씨에게만 책을 줬어요.
- 이 표현은 '에게'와 '만'을 같이 써서 만든 표현이에요. 히엔 씨가 나나 씨에게 책을 줬어요. 다른 친구는 안 줬어요. '나나 씨에게만 줬어요.'라고 말해요.
- 그런데 히엔 씨가 이번에는 다른 책을 케빈 씨에게 (또 다른 학생에게 책을 주는 것처럼 행동을 한다.) 줬어요. 그럼 어떻게 말할까요?
  (칠판에 판서) 히엔 씨가 케빈 씨에게도 책을 줬어요.
- 나나 씨 한 명만 줘요. 그럼 '나나 씨에게만'이라고 말해요. 그런데 케빈 씨도 줘요. 그럼 '케빈 씨에게도'라고 말해요.

- 형태: 명사와 결합하며 받침 유무에 관계없이 '에게만, 에게도'를 쓴다.

☆ '만'은 앞에서 배우지 않은 문법이므로 '만'에 대한 설명을 먼저 한 후 '에게'와 결합하여 설명하는 것이 좋다. '만'은 명사 뒤에 붙어 다른 것을 배제하며 오직 그것만 선택함을 나타낼 때 사용한다.
  예 선생님만 한국 사람이에요./가방에는 지갑만 있어요./한국에서 서울에만 가 봤어요.

- 추가 예문
  동생에게만 비밀을 말했어요.
  할머니께만 선물을 드렸어요.
  안나 씨에게도 생일 카드를 줬어요.
  유진 씨에게도 꽃을 줬어요.

발음	경음화	34쪽

□ '먹고'는 [먹꼬]로 발음한다. 특정한 환경에서 평음이 경음으로 대치되는 현상을 경음화라고 하는데 평음 'ㄱ' 뒤의 평음 'ㄱ'은 경음 [ㄲ]으로 발음된다.

□ [기본 교재]에 제시된 문장 외에도 아래 문장으로 더 연습할 수 있다.
  예 학교에서 친구를 만나요./무슨 악기를 연주할 수 있어요?/약국이 어디에 있어요?

활동	소중한 선물/소중한 선물 소개	34~35쪽

더하기 활동 | 16쪽, 2번

□ 각자 써 보게 한 후 반 전체적으로 가장 많이 언급된 선물을 이야기해 보고 외국인에게 하면 좋을 선물 목록을 만들어 볼 수 있다. 또는 같은 나라의 학생들만 있어서 비슷한 물건만 언급되는 경우 그룹별로 여러 나라를 나누어 맡아 각 나라에서 인기 있는 선물과 이유를 조사해 발표해 볼 수도 있다.

세종학당에 오다가 중학교 때 친구를 만났어요

더하기 활동 | 18쪽, 1번

☐ 언제 기분이 안 좋은지, 기분이 안 좋을 때 무엇을 하는지 구체적인 상황을 함께 이야기하며 의미를 잘 파악하도록 한다.

㉑ 힘들어요. → 할 일이 너무 많아서 힘들어요.
→ 어제 3시간 동안 걸어 다녀서 힘들었어요.
→ 저는 힘들 때 친구와 전화를 해요.

더하기 활동 | 18쪽, 2번

☐ 학생들이 접할 수 있는 드라마, 영화, 케이팝(K-POP) 가사 등에서 관련된 표현이 있는지 확인할 수 있다. 교재에 제시된 긍정적인 표현 외에도 부정적인 기분을 나타내는 표현을 추가로 이야기해 볼 수 있다.

㉑ 지금 말할 기분이 아니에요. / 기분이 그냥 그래요. / 마음이 안 좋아요.

어휘와 표현	기분	39쪽

☐ '기분이 좋다', '기분이 나쁘다'를 시작으로 긍정적·부정적 기분 표현을 확인한다.

☐ 표현 중 유의어로 분류되는 것은 사전적 의미와 용례를 참고해서 상황을 설명한다.

기쁘다	• 의미: 욕구가 충족되어 마음이 흐뭇하고 흡족하다. (반대말: 슬프다) • 용례: 다시 만나서 기뻐요. / 시험에 합격해서 기뻐요. / 기쁜 마음으로 학생들을 가르쳐요.
즐겁다	• 의미: 마음에 거슬림이 없이 흐뭇하고 기쁘다. • 용례: 여행이 즐거웠어요. / 주말 즐겁게 보내세요. / 하루하루가 즐거워요.
신나다	• 의미: 어떤 일에 흥미나 열성이 생겨 기분이 매우 좋아지다. • 용례: 아이들이 밖에서 신나게 놀아요. / 신나는 춤과 노래를 즐겨요! / 부산에서 배도 타고 수영도 해서 정말 신났어요.

문법 1	-다가	40쪽

☐ 본 단원의 문법(-다가, -아/어 주다)은 교수 부담이 다소 높은 항목이므로 다른 단원에 비해 교수·학습 시간이 더 필요할 수 있다. '-다가'의 경우 의미를 정확하게 익혀야 중급에서 확장형인 '-았다가/었다가'의 의미 이해에 혼동이 덜하다. '-아/어 주다'의 경우 도움 요청과 제안 두 의미의 형태를 모두 학습해야 해서 부담이 큰 편이다.

☐ **도입**

40쪽	40쪽
안나 씨가 어디에 있어요? (방, 책상 앞이요.) 뭐 해요? (자요.) → 안나 씨는 언제 잠이 들었어요? 책을 읽다가 잠이 들었어요.	유진 씨는 어디에 가고 있어요? (세종학당이요.) 누구를 만났어요? (친구요.) → 유진 씨는 언제 친구를 만났어요? 세종학당에 가다가 친구를 만났어요.

☐ **설명**

- 의미: 어떠한 행위나 상태가 중단되고 다른 행위나 상태로 바뀜을 나타낸다. 어떤 일을 하는 도중에 그 일을 그만두거나 다른 일을 할 때 사용한다. 주로 동사와 사용한다.

• 안나 씨는 책을 읽고 있었어요. 그런데 책을 읽다가 잠이 들었어요. 책을 끝까지 다 읽었어요? (아니요. / 다 못 읽었어요.)
• 유진 씨는 세종학당에 가는 중이었어요. 그런데 가다가 친구를 만났어요. 유진 씨는 세종학당에 도착했어요?

(아니요. / 길에 있어요. / 도착하지 않았어요.)
• 어떤 일을 하고 있었어요. 그 일을 하는 중에, 끝나지 않았는데 그만두고 다른 일을 할 때 말해요.

- 형태: 동사와 결합하며 받침 유무에 관계없이 '-다가'를 쓴다.
- 제약: 앞 절과 뒤 절의 주어가 같아야 하고, 뒤 절의 주어는 생략한다.
  예 안나 씨는 책을 읽다가 (안나는) 잠이 들었다.

☆ '-다가'는 '-다'로 줄여 쓸 수 있다. 영화를 보다가 너무 슬퍼서 울었어요. = 영화를 보다 너무 슬퍼서 울었어요.

- 추가 예문
  저는 서울에서 살다가 부산으로 이사를 했어요.
  산에 올라가다가 다리를 다쳤어요.
  친구와 이야기하다가 싸웠어요.

□ [기본 교재] 2번 문항에서는 앞이나 뒤 절을 보고 나머지 부분을 자유롭게 만들어 보도록 지도한다. 2의 4)번이 [더하기 활동 교재] '문법 1'과 연결되니 자연스럽게 이어서 진행해도 좋다.

더하기 활동 | 19쪽, 1번

□ 어떤 일을 하다가 그만둔 경험을 각자 생각해서 이유와 함께 이야기해 보도록 한다.
  예 저는 어렸을 때 피아노를 배우다가 그만뒀어요. 어렸을 때는 피아노가 재미없었는데 지금은 다시 배우고 싶어요.

문법 2	-아/어 주다	41쪽

□ **도입**

41쪽 마리 씨가 지하철역을 찾고 있어요. 어디예요? 몰라요. 알고 싶어요. 아주머니께 어떻게 말할까요? → 지하철역이 어디예요? 알려 주세요.	41쪽 재민 씨가 지금 뭘 하고 있어요? (책을 많이 들고 있어요. 책이 무거워요.) 주노 씨가 어떻게 말할까요? → 제가 좀 들어 줄까요?

□ **설명**
- 의미: 도움을 주는 어떤 행위를 함을 나타내는 표현으로 남에게 도움을 제안하거나 약속할 때, 또는 남에게 도움을 요청할 때 주로 사용한다.

• 여러분, 마리 씨가 지하철역을 찾고 있어요. 도움이 필요해요. "Help!" 그럴 때 '-아 / 어 주세요'로 부탁하는 말을 할 수 있어요. 지하철역이 어디예요? (칠판에 판서) '알려 주세요.', '가르쳐 주세요.', '도와주세요.'라고 이야기할 수 있어요.
• 숙제를 몰라요. 학교 전화번호를 몰라요. '알려 주세요, 가르쳐 주세요, 도와주세요.' 말할 수 있어요.
• 그런데 도움을 주려고 할 때도 말할 수 있어요. 재민 씨가 책을 많이 들고 있어요. 제가 도움을 주고 싶어요. 그럴 때 '-아/어 줄까요?'로 말할 수 있어요. '도와 줄까요? 들어 줄까요?'

참고) '도와주다, 빌려주다'는 한 단어로 등재되어 있어 띄어쓰기를 하지 않는다.

- 형태

동사	
ㅏ, ㅗ -아 주다 찾아 주다, 만나 주다, 봐 주다, 와 주다	ㅏ, ㅗ 이외 -어 주다 만들어 주다, 열어 주다, 알려 주다, 가르쳐 주다
하다 해 주다 이야기해 주다, 전화해 주다, 축하해 주다	탈락 / 불규칙 • 쓰다 → 써 주다 • 듣다 → 들어 주다 (규칙: 닫다 → 닫아 주다) • 부르다 → 불러 주다 • 젓다 → 저어 주다 (규칙: 웃다 → 웃어 주다)

- 제약: 형용사와 결합하지 않는다.
  예 깨끗해 주세요, 예뻐 주세요. (×)
  동사 '주다'와 결합하면 어색하다.
  예 친구에게 선물을 줘 주세요. (×)

☆ ① 정중한 표현:
  도움 요청 시 → 알려 주세요. 〈 알려 주시겠어요(주시겠습니까)?
  도움 제안 시 → 들어 줄까요? 〈 들어 드릴까요?
② 도움을 약속할 때에는 '-아/어 줄게요(드릴게요)'를 사용한다.
  가: 이것 좀 같이 들어 주시겠어요?
  나: 네. 들어 줄게요.

더하기 활동 | 19쪽, 2번

☐ 도움을 요청할 수 있는 상황을 실제로 떠올려 문장을 만들 수 있도록 한다. 나와서 하기 어려운 경우 자리에서 일어나 활동을 진행하도록 한다.

㊐ (물건을 찾는 흉내를 내며 '펜이 어디 있지?'라고 하는 학생에게) 제가 같이 찾아 줄까요?
(가방 안을 보며 '책이 없네요.'라고 하는 학생에게) 제가 빌려줄까요?

활동	특별한 기억/ 친구와의 특별한 경험	42 ~ 43쪽

☐ '활동 1', '활동 2'의 주제가 특별한 기억이나 경험이므로 전 차시 수업에서 미리 이 주제에 대해 생각해 오도록 미리 안내한다.

☐ '활동 2' 쓰기 주제는 '친구와의 특별한 경험'에 관련된 것이므로 친구와 여행한 것이나 파티를 한 것, 어린 시절 친구와의 추억 등이 언급될 수 있다. 이와 관련하여 [더하기 활동 교재]의 '읽고 쓰기'는 '특별한 기억'에 대한 글쓰기로 '특별한 선물, 특별한 사람, 특별한 장소, 특별한 시간'과 같이 주제를 확장한 것이다.

더하기 활동 | 20쪽, 2번

☐ 유명인을 만나거나 텔레비전에 나왔던 경험이 있는지, 그때 상황이 어땠는지 자유롭게 이야기해 보도록 한다. 관련된 경험이 없다면 일상 속에서 경험할 수 있는 개인적인 경험을 간단히 이야기하도록 할 수 있다.

㊐ 어렸을 때 친구나 선생님을 우연히 만난 경험, 다른 사람들이 잘 모르는 특별한 활동(번지 점프, 스카이다이빙 등)을 한 경험 등

더하기 활동 | 21쪽, 2번

☐ 글을 쓴 후 교사의 피드백을 받아 '다시 쓰기'를 하고 발표해 보도록 한다. 발표가 효율적으로 운영되지 못할 경우 에스엔에스(SNS)에 글을 올리도록 하는 방법도 있다.

공연 중에 핸드폰을 사용하지 마세요

어휘와 표현	공연 관람 예절	47쪽

☐ 자리 바꾸기, 자리에서 일어나기, 앞자리를 발로 차기, 공연 중간에 나가기, 친구와 떠들기는 일반적으로 공연장에서 하면 안 되는 행동이다. 하지만 다른 행동의 경우 공연의 성격과 내용이나 공연장의 특성에 따라 다를 수 있다. 따라서 공연들의 성격을 잘 설명하면서 익히도록 지도한다. 특히 발레 공연이나 클래식 공연보다 좀 더 자유로운 분위기의 케이팝(K-POP) 공연으로 질문이 구성되어 있으니 주의한다. 행동별로 참고할 수 있는 상황은 다음과 같다.

- 일부 야외 공연장에서는 음식을 먹으면서 공연을 볼 수도 있다.
- 일부 공연장에서는 사진 촬영은 가능하나 동영상 촬영이 안 되는 곳도 있다. 그러나 한국 대부분의 공연장에서는 무대 배경으로 사진 촬영이 금지된다.
- 클래식 공연의 경우 공연 중간에 박수를 치는 것이 다소 엄격하게 금지되는 편이다. 반면 케이팝(K-POP) 공연에서는 가수에게 호응해 주는 것이 자연스러워서 박수를 치거나 노래를 따라서 부르는 경우가 흔하다.

더하기 활동 | 22쪽, 2번

☐ 배운 표현을 사용해서 이야기를 만들어 보는 활동이다. 만든 이야기를 발표하도록 하고 가장 잘 만든 이야기를 뽑아 볼 수도 있다.

문법 1	-네요	48쪽

□ 문법 1 '-네요'는 문법 2 '-지 말다'에 비해 학습자의 이해가 비교적 용이하고 형태가 복잡하지 않으므로 연습 시간 배분 시 참고하도록 한다.

□ 도입

48쪽 여기가 어디예요? (표 사는 곳 / 극장 / 공연장이요?) 네. 맞아요. 표를 사려고 갔는데 사람이 정말 많았어요. 그래서 친구에게 이야기했어요. → 와(강조해서), 여기는 사람이 정말 많네요.	48쪽 친구하고 외출하려고 밖에 나왔어요. 안에 있을 때는 몰랐는데 비가 오고 있었어요. 그래서 친구에게 이야기했어요. → (방금 안 것처럼 하늘을 보면서) 어? 안에 있을 때는 몰랐는데 비가 많이 오네요.

□ 설명

- 의미: 지금 알게 된 일을 서술하는 종결어미로 말하는 사람이 직접 경험하여 새롭게 알게 된 사실을 나타낸다. 흔히 감탄의 뜻으로 많이 사용한다.

• 친구와 공연을 보러 갔는데 표 파는 곳에 사람이 아주 많았어요. 이 공연이 인기가 많은 것 같아요. 저는 여기에 사람이 많은 것을 알았어요? (아니요. / 몰랐어요.) 네. 맞아요. 지금 알았어요. 그래서 "사람이 많네요."라고 말했어요.
• 친구하고 밖에 나오기 전에 비가 오는 것을 알았어요? (아니요. / 몰랐어요.) 네. 밖에 나와서 봤어요. 지금 알았어요. 그래서 "비가 많이 오네요."라고 말했어요.
• 전에는 몰랐는데 새로운 것을 듣거나 본 후에, 지금 알았어요. 그래서 놀랐어요. 그럴 때 '-네요'를 말해요.

- 형태: 동사, 형용사와 결합하며 받침 유무에 관계없이 '-네요'를 쓴다. 'ㄹ' 받침으로 끝날 때는 'ㄹ'이 탈락한다. '-았/었-', '-(으)시'가 붙을 수 있다.
  예 집이 머네요. / 오, 생각보다 빨리 도착했네요. / 키가 아주 크시네요.
- 문장 구성 정보: 새로운 정보를 처음 알게 되면 놀라는 것처럼 '와', '앗', '오'와 같은 감탄사나 '정말', '아주', '많이'와 같은 부사와 함께 자주 쓰인다.
  예 엇, 오늘 세종학당 책을 안 가져왔네요. / 어머, 여기에 한국 식당이 있었네요. / 오, 이 카페 정말 좋네요. / 와, 벌써 겨울이 왔네요.

☆ ① 칭찬할 때 자주 사용된다.
  예 한국어를 정말 잘하시네요. / 오늘 정말 멋있네요.
② 주로 비격식적인 상황에서 사용하나 높은 사람에게 사용하면 적절하지 않을 수 있다.
③ [기본 교재] 50쪽의 발음을 함께 다루면 특유의 억양을 익히면서 연습할 수 있어 좋다.

□ 칭찬할 때 사용되는 용법을 언급하며 [기본 교재] 2번 문항의 3)~4)번을 참고하면 실제적인 문장을 많이 만들 수 있다. 학생들이 돌아가면서 이야기해 보도록 한다.

문법 2	-지 말다	49쪽

□ 도입

49쪽 여기가 어디예요? 무엇을 해요? (영화관이요. / 영화를 봐요.) 네. 맞아요. 화면에 있는 그림을 보세요. 영화를 볼 때 핸드폰을 사용해요. 괜찮아요? (아니요.) 친구와 이야기를 해요. 괜찮아요? (아니요.) 쓰레기를 버려요. 괜찮아요? (아니요.) 네. (손으로 엑스 표시를 하며) 안 돼요. 영화 시작 전에 안내가 나와요. 핸드폰을 사용하지 마세요. 이야기하지 마세요. 쓰레기를 버리지 마세요. (손으로 엑스 표시를 하며) "안 돼요. 하지 마세요."라고 말할 수 있어요.

□ 설명

- 의미: 어떤 행위의 금지를 나타내는 표현이다. 어떤 행위를 하지 못하게 함을 나타낸다. 다른 사람의 행위를 금지할 때 주로 사용한다.

• 극장에서 영화를 볼 때 옆 사람이 친구하고 이야기해요. 괜찮아요? (아니요.)
  네. 안 돼요. 그럴 때 옆 사람에게 '이야기하지 마세요.'라고 말할 수 있어요.
• 수업 시간에 친구가 시끄럽게 떠들어요. 괜찮아요? (아니요.) 그러면 어떻게 말해요? (떠들지 마세요.)
• 수업 시간에 잠을 자요. 괜찮아요? 그러면 어떻게 말해요? (자지 마세요.)
• (손으로 엑스 표시를 하며) 이렇게 '안 돼요.'라고 말하고 싶을 때 '-지 마세요'를 말해요.

- 형태: 동사, 형용사와 결합하며 받침 유무에 관계없이 '-지 마세요'를 쓴다.
- 문장 구성 정보: 문장에서는 '-지 마세요', '-지 마십시오'와 같이 문장 끝에 사용하기도 하고 다른 연결어미와 결합해 문장 중간

에 사용하기도 한다.

예 여기에서 담배를 피우지 마세요./손님, 이쪽에 주차하지 마십시오./울지 말고 천천히 이야기해 보세요./너무 걱정하지 말고 푹 쉬세요.

- 제약 정보: 평서문, 의문문에는 사용하지 않는다.

예 수업 시간에 자지 맙니다. (×)/수업 시간에 자지 말아요? (×)

☆ ① 친하고 가까운 사이에서 주로 사용된다.

② 도입부터 연습 단계까지 금지 행위를 나타내는 다양한 표지판을 준비하여 활용하면 유용하다.

③ 금지의 내용이 문화적으로 차이가 있을 수 있으므로 해당 국가에서 문제가 없는지 교수 전 확인이 필요하다.

□ [기본 교재] 3번 문항에서는 세종학당에서 하지 말아야 할 것을 돌아가면서 이야기해 보도록 한다. 이 활동은 [더하기 활동 교재] '문법' 3번 문항과 연계하여 진행할 수 있다.

더하기 활동 | 23쪽, 3번

□ 제시된 장소 중 '교실'은 [기본 교재] '문법 2'의 3번 문항 '세종학당에서 하지 말아야 할 것'과 비슷한 내용이 나올 수 있으므로 어려워하는 학생들은 교실을 골라 반복 연습을 하도록 한다. 쉽게 문장을 잘 만들어 낸 학생의 경우 영화관, 사무실, 박물관을 고르게 하거나 공연장, 병원, 지하철 등 직접 장소를 생각해서 활동할 수 있도록 한다.

발음	'-네요'의 억양	50쪽

□ '-네요'가 들어가는 감탄문의 억양은 끝의 '-요'가 내려갔다가 살짝 올라간다. 억양에 주의해 따라 해 보도록 한다.

□ [기본 교재]에 제시된 문장 외에도 아래 문장으로 더 연습할 수 있다.

예 한국어를 아주 잘하네요!/옷이 진짜 멋있네요./정말 큰일이네요.

활동	춤 공연 관람/ 공연 관람 예절 안내	50~51쪽

□ '활동 1', '활동 2'의 주제가 공연 관람 예절에 대한 내용이므로 공연 관람 경험에 대해 먼저 이야기하면서 도입하면 좋다.

□ '활동 1' 2번 문항의 3)번에 가능한 대화 구성 예시는 다음과 같다.

가: 와, 공연장이 크네요.
나: 그렇죠? 여기 표 받으세요.
가: 고마워요. 저는 클래식 공연을 처음 보는데 뭘 조심해야 해요?
나: 공연 중간에 박수를 치거나 떠들지 마세요.
[공연 관련 참고 어휘] 뮤지컬, 오페라, 발레 공연, 클래식 공연, 마술 공연

□ '활동 2'의 2번(문장 쓰기)과 [더하기 활동 교재] '듣고 말하기' 2번(문장 말하기)은 다소 반복된다고 생각할 수 있으니 이 단원에서 만든 다양한 문장을 정리하고 복습할 수 있도록 한다. 좀 더 재미있게 활동하기 위해서 [더하기 활동 교재] '듣고 말하기' 2번은 그동안 배운 표현들로 누가 더 많은 문장을 만들어 내는지 게임 형식으로 진행해도 좋다.

더하기 활동 | 25쪽, 2번

□ 에스엔에스(SNS) 글쓰기에 대해 다룬다. 에스엔에스(SNS) 글의 구조 및 형식(함께 있는 사람, 장소 정보, 날짜 및 시간 정보, 글, 해시태그, 좋아요, 댓글, 공유)을 함께 살펴본다. 직접 에스엔에스(SNS)에 올리도록 해도 좋다.

여기에서 노트북을 사용해도 돼요?

어휘와 표현	공공장소 규칙	55쪽

□ 공공장소에서 지켜야 할 규칙, 예절은 지역이나 문화에 따라 큰 차이가 없는 보편적인 내용이 많으나 실제로 잘 지켜지고 있는지는 나라마다 다를 수 있다. 관련 표현들을 익히도록 한다.

□ '잘, 천천히, 여기저기, 큰 소리로, 시끄럽게' 등 부사와 부사적 표현을 이 주제에서 다양하게 다룰 수 있다. 추가로 언급될 수 있는 표현으로는 '조용히 (말하다), 갑자기 (문을 열다), 크게 (떠들다), 심하게 (장난을 치다)' 등이 있다.

□ 3번과 [더하기 활동 교재] 3은 연결해서 이야기할 수 있는 내용이므로 참고한다. 공공장소에서 제일 조심해야 하는 것을 말하면서 이유를 이야기할 때 실수한 경험을 함께 말할 수 있다.

더하기 활동 | 26쪽, 2번

□ 장소의 특별한 규칙을 가진 곳을 이야기해 볼 수 있다. 학생들의 경험에 따라 응답이 어려울 수 있으나, 학생마다 일상에서 자주 가는 곳(카페, 도서관, 식당 등)을 떠올려 대답할 수 있게 안내한다. 너무 크게 다르지 않더라도 한두 가지의 특별한 규칙이 있다면 소개해 볼 수 있다. 〈보기〉 외에 그림 1)을 보고 이야기할 수 있는 내용으로는 다음과 같다.

㉪ 저는 특별한 북카페(book cafe)를 알아요. 그곳은 커피를 마시면서 이야기하는 곳이지만 조용히 공부하거나 일을 하는 사람도 아주 많아요. 거기에 처음 가면 도서관을 생각해요. 카페가 도서관처럼 생겼어요. 친구에게 들었는데 한국에서는 이런 곳을 '스터디 카페'라고 해요.

문법 1	-아도/어도 되다	56쪽

□ 본 단원의 문법(-아도/어도 되다, -(으)면 안 되다)은 함께 교수·학습할 수 있는 문법이다. 상황에 따라 질문, 긍정형 대답 형태에 모두 사용될 수 있는 '-아도/어도 되다'를 먼저 가르치고 부정형 대답에 사용될 수 있는 '-(으)면 안 되다'를 가르친 후 연습을 함께 하는 방식으로 진행하는 것도 가능하다.

□ **도입**

56쪽
두 사람이 있네요. 남자가 뭐 해요? (책상/탁자/테이블을 정리해요.)
남자가 여자에게 무슨 질문을 하고 있는 것 같아요. 뭘 물어볼까요? (종이를 버려요. / 종이를 버리고 싶어요.)
맞아요. 테이블 위를 정리하는데 '그 종이가 중요해요? 안 중요해요?'를 잘 몰라요.
'종이를 버려요. (그래도) 괜찮아요?'라고 질문하고 싶어요.
→ 이 종이 버려도 돼요?
종이를 버려도 괜찮아요. 여자가 말해요.
네. 버려도 돼요.

□ **설명**

- 의미: 어떤 행위나 상태를 허락하거나 허용함을 나타낸다. 허용이 되는지를 질문하거나 이에 대해 허용한다는 의미의 대답을 할 때 사용한다.

- 여러분, 우리는 지금 무엇을 하고 있지요? (한국어 수업을 해요. / 한국어를 배워요.) 네. 그런데 수업 중에 화장실에 가고 싶어요. 그럼 선생님에게 '-아도/어도 돼요?'로 질문할 수 있어요. '선생님, 화장실에 가도 돼요?'
'괜찮아요.'라고 대답하고 싶으면 '네. 가도 돼요.'라고 대답할 수 있어요.
- 무슨 일을 하는 것이 괜찮아요? 물어보고 싶어요. 그리고 그 대답으로 '괜찮아요.'라고 말하고 싶어요. 그럴 때 '-아도/어도 돼요'를 사용해요.

- 형태

동사	
ㅏ, ㅗ	ㅏ, ㅗ 이외
-아도 되다 받아도 되다, 가도 되다, 봐도 되다	-어도 되다 먹어도 되다, 늦어도 되다, 마셔도 되다, 바꿔도 되다

하다	탈락 / 불규칙
해도 되다 사용해도 되다, 전화해도 되다, 시작해도 되다	•쓰다 → 써도 되다 •눕다 → 누워도 되다 (규칙: 입다 → 입어도 되다) •걷다 → 걸어도 되다 (규칙: 닫다 → 닫아도 되다)

☆ ① '되다' 자리에 '좋다, 괜찮다' 등을 써서 '-아도/어도 좋다/괜찮다'로 사용할 수 있다.

예 먼저 가도 좋아요./여기에서 사진을 찍어도 괜찮아요.

② 형용사의 경우 일부 형용사만 가능해서 '동사'를 위주로 연습하고 결합이 가능한 형용사는 예문으로 제시해 주면 좋다.

예 음식이 좀 매워도 돼요?/내일 좀 늦어도 돼요./물건이 좋으면 값이 조금 비싸도 돼요.

- 추가 예문

오늘 집에 놀러 가도 돼요?

이 음식 다 안 먹어도 돼요.

여기에 주차해도 돼요?

□ [기본 교재] 2번 문항에서는 실제로 많이 사용될 수 있는 상황에서 목표 문형을 이용해 문장을 만들 수 있도록 한다. '해도 되는지에 대한 여부', '허락을 구하고자 하는 것'에 초점을 두어 문장을 많이 만들어 보도록 한다.

더하기 활동 | 27쪽, 1번

□ 그림에 맞는 대화를 만들어 보게 하고 시간의 여유가 있다면 해당 장소에서 질문할 수 있는 것을 추가로 더 만들게 한다.

예 사무실: 잠깐 외출해도 돼요?/회의 장소를(시간을) 바꿔도 돼요?/이 자료를 복사해도 돼요?

문법 2	-(으)면 안 되다	57쪽

□ **도입**

57쪽

이게 뭐예요? (안내문이요.) 어디에 있는 안내문이에요? (공원 / 세종공원이요.)

여기에서 뭘 해도 돼요? 괜찮아요?

(음료수를 마셔도 돼요. / 강아지와 같이 산책해도 돼요. / 자전거를 타도 돼요.)

그럼 쓰레기를 버려요. 큰 소리로 노래를 해요. 음식을 만들어요.

괜찮아요? (아니요. / 안 돼요.)

(손으로 × 표시를 하면서) '안 돼요.'라고 말하고 싶어요.

→ 쓰레기를 버리면 안 돼요. 큰 소리로 노래하면 안 돼요. 음식을 만들면 안 돼요.

□ **설명**

- 의미: 어떤 행위를 하지 못하게 하거나 어떤 상태가 되는 것을 금지함을 서술할 때 사용한다.

• 여러분, 우리는 지금 무엇을 하고 있지요? (한국어 수업을 해요. / 한국어를 배워요.)

네. 그런데 한국어 수업 중에 어떤 학생이 계속 영어(혹은 해당 국가의 언어)로만 말해요. 괜찮아요? (아니요. / 안 돼요.)

네. 한국어 수업 시간에 영어로 말하면 안 돼요.

• 술을 마시고 운전을 해요. 괜찮아요? (아니요. / 안 돼요.)

네. 절대로 안 돼요. 술을 마시고 운전하면 안 돼요.

• 어떤 일을 하는 것이 괜찮지 않아요. 안 돼요. 그럴 때 '-(으)면 안 돼요'를 사용해요.

- 형태:

동사	
받침 ○ -으면 안 되다 찾으면 안 되다, 늦으면 안 되다 받침 × -면 안 되다 보면 안 되다, 쓰면 안 되다	탈락 / 불규칙 •놀다 → 놀면 안 되다 •눕다 → 누우면 안 되다 (규칙: 입다 → 입으면 안 되다) •듣다 → 들으면 안 되다 (규칙: 닫다 → 닫으면 안 되다)

☆ 형용사와 결합하는 경우 예시를 함께 제공하여 맥락에 맞지 않는 문장을 생성하지 않도록 주의시킨다.

예 운동화가 너무 크면 안 돼요. 운동할 때 불편해요./이 수영장에서는 수영 모자가 없으면 안 돼요./아이가 먹을 거니까 너무 매우면 안 돼요.

□ [기본 교재] 2번 문항에서는 한국과 해당 국가에서 하면 안 되는 것을 이야기해 본다. 나라나 문화권에 따라 금지 항목이 다를 수 있으니 주의가 필요하다.

더하기 활동 | 27쪽, 2번

□ 여러 공공장소 중 하나를 선택해 '문법 1', '문법 2' 문형을 모두 사용해서 문장을 생성하도록 한다. 서로 같은 장소를 고르지 않도록 분배한다. 이 연습은 [기본 교재] '활동 1'의 2번 문항과 연결되는데, 여러 학생을 만나 인터뷰를 해 다양한 장소의 내용을 서로 말할 수 있도록 한다.

활동	도서관 방문 / 공공장소의 규칙	58 ~ 59쪽

□ 활동 2를 진행하기 위해 여러 안내문을 자료로 활용하는 것이 좋다. 1번 문항은 여러 종류의 안내문을 읽어 보도록 하고, 2번 문항은 직접 간단한 안내문을 작성해 보도록 한다. 어려워하는 경우 집 안에서 가족끼리, 교실에서 친구끼리 지켜야 할 것을 메모해 보도록 한다.

더하기 활동 | 28쪽, 2번

□ 5과의 관람 예절 어휘를 다시 활용해서 말할 수 있도록 그림을 제시하였다. 그림의 장소 중 본 단원에서 나오지 않은 교통수단이나 미술관, 박물관 등의 전시회장에 대한 이야기를 추가로 할 수 있다.

더하기 활동 | 29쪽, 2번

□ 학생들의 나라 상황에 맞춰 글을 쓰는 활동으로 다시 쓰기를 한 후 에스엔에스(SNS)에 올릴 수 있도록 한다. 이모티콘을 사용하도록 안내해도 좋다.

2B 07

마리 씨한테서 그 친구 이야기를 들었어요

어휘와 표현	성격	63쪽

□ 초급에서 다룰 수 있는 쉬운 성격 관련 표현이 새 표현으로 제시되어 있다. [더하기 활동 교재]에는 사람들의 성향이나 특징과 관련된 표현으로 '조용해요, 친구를 잘 도와줘요'와 같은 확장 표현이 제시되어 있다. 그 외에도 '재미없어요, 시끄러워요, 화를 많이 내요, 항상 일을 천천히 해요' 등이 언급될 수 있다.

□ [기본 교재] 1번 문항에서는 학생들이 쉽게 어휘의 의미를 파악할 수 있도록 해당 국가의 번역어를 미리 준비하는 것이 좋다.

더하기 활동 | 30쪽, 1번

□ 자신의 성격을 좀 더 자세히 이야기해 보는 활동이다. 자신의 성격이 어떤지, 자신의 어떤 부분이 마음에 들고 어떤 부분이 고치고 싶은지 메모하고 발표해 보도록 한다.

더하기 활동 | 30쪽, 2번

□ 친한 친구의 성격이 무엇인지, 자신과 잘 맞는 성격인지, 만나고 싶은 친구가 누구인지 이야기해 보도록 한다. 추상적인 의미를 가진 어휘가 많기 때문에 반복 연습을 통해 어휘를 익힐 수 있도록 한다.

문법 1	에게서, 한테서, 께	64쪽

☐ '문법 1'의 '에게서, 한테서, 께'는 '문법 2' '-(으)니까'에 비해 의미적으로나 형태적으로 교수 부담이 적은 편이므로 '문법 2'에 좀 더 교수·학습 시간을 분배할 수 있다.

☐ 도입

64쪽 지금 재민 씨가 뭐 해요? (전화해요. / 마리 씨하고 전화해요.) 네. ('마리 → 재민'을 판서하면서) 그런데 누가 누구에게 전화했어요? (마리 씨가 재민 씨에게 전화했어요.) 맞아요. 그럼 누가 전화를 받았지요? (재민 씨가 받았어요.) 네. 재민 씨가 마리 씨의 전화를 받았어요. → 마리 씨에게서 전화를 받았어요.	64쪽 안나 씨가 선물을 받았어요. 이 선물을 누가 줬어요? (할머니요, 할머니께서 줬어요. / 주셨어요.) ('할머니 → 안나'를 판서하면서) → 네. 안나는 할머니께 선물을 받았어요.

☐ 설명

- 의미: 어떤 행위가 나온 출처나 어떤 행위가 비롯되는 대상임을 나타낸다. 어떤 사람이나 동물로부터 주어진 행위가 시작됨을 나타낼 때 사용한다.

> • ('친구'를 보여 주며) 전화를 받았어요. 누구에게서? 친구에게서 받았어요.
> • ('친구'를 보여 주며) 선물을 받았어요. 누구에게서? 친구에게서 받았어요.
> • ('친구'를 보여 주며) 이야기를 들었어요. 누구에게서? 친구에게서 들었어요.
> • ('친구'를 보여 주며) 한국어를 배웠어요. 누구에게서? 친구에게서 배웠어요.
> ('친구'를 보여 주며) 연필을 빌렸어요. 누구에게서? 친구에게서 빌렸어요.
> (위의 '친구' 대신에 학생들의 이름이나 선생님이 들어가도 된다. 같은 패턴으로 진행되는 거니 학생의 입에서 '친구에게서'가 바로 나올 수도 있다.)
> • 이렇게 누가 그 선물을 줬어요? 누가 이야기했어요? 준 사람, 시작한 사람을 말할 때 '에게서'를 쓸 수 있어요.
> • '에게'와 '한테'를 모두 쓸 수 있는 것처럼 '에게서'도 '한테서'하고 같이 사용할 수 있어요. 말할 때는 '한테서'를 더 많이 말해요.
> • '할머니, 할아버지, 선생님, 교수님, 사장님' 뒤에는 '께'를 써요.

- 형태: 명사와 결합하며 받침 유무에 관계없이 '에게서, 한테서, 께'를 쓴다.

☆ ① 사람이나 동물을 나타내는 명사 뒤에서 사용한다. 장소나 사물 등은 '에서'와 결합한다. [익힘책] 1번의 4)에 '회사에서', '학교에서'가 있으니 함께 설명해 주는 것이 좋다.

예 사장님께 칭찬을 들었어요. / 회사에서 전화를 받았어요. / 저는 학교에서 장학금을 받아요. / 꽃에서 향기가 나요.

② '에게서, 한테서, 께'와 결합할 수 있는 '(전화를/선물을/이메일을/문자를) 받다, (전화가/이메일이/문자가) 오다, 듣다, 배우다, 빌리다, 얻다, 칭찬을 듣다' 등을 정리해 주면 효율적이다.

- 추가 예문
  저는 부모님께 용돈을 받아요.
  후배한테서 결혼 축하 인사를 받았어요.

☐ [기본 교재] 2번에서는 학생들이 자신의 경험에 비추어 대답할 수 있도록 상황을 조금씩 바꿔서 질문해도 좋다. 예를 들어 '학교 졸업식 선물'이 아닌 '생일 선물', '택배'가 아닌 '이메일'과 같이 학생들의 상황에 따라 질문을 변경해서 활용할 수 있다. [더하기 활동 교재] '문법 1'의 문장 생성 활동을 먼저 진행할 수도 있다.

더하기 활동 | 31쪽, 1번

☐ 제시된 사람과 행동을 연결해 자유롭게 문장을 만들어 보게 하고 시간의 여유가 있다면 사람, 행동을 모두 바꿔서 문장을 생성해 내도록 할 수도 있다.

문법 2	-(으)니까	65쪽

☐ 도입

65쪽 이 사람이 선물을 받았어요. 그런데 안에 뭐가 들어 있는지 알아요? (아니요. / 모르는 것 같아요.)	65쪽 교사: 네. 그런데 상자를 열어 봤어요. 어때요? (놀랐어요. / 좋아해요.) 안에 뭐가 있어요? (옷 / 셔츠 / 블라우스요.)
→ 네. 상자를 여니까 안에 옷이 있었어요. 선물이 있었어요.	

□ **설명**

- 의미: 앞 절의 내용이 진행된 결과 뒤 절의 내용처럼 되거나 그런 일이 일어남을 나타낸다. 앞의 행동을 함으로 뒤의 사실을 발견하게 될 때 사용한다. 의미상 동사와 결합하고 형용사와는 결합할 수 없다.

• 여러분, 지금 날씨가 어때요? 알아요? (네. / 아니요. / 비가 와요. / 맑아요.)
생각해 보세요. 교실에 창문이 없어요. 그래서 '지금 밖에 날씨가 어때요?'를 잘 몰랐어요. 그런데 수업 끝나고 집에 가려고 해요.
문을 열었는데 밖에 비가 오고 있어요. 문을 여니까 비가 오고 있었어요.
문을 열기 전에는 몰랐어요. 그런데 문을 여니까 비가 오는 것을 알았어요.
그렇게 '무엇을 해서 새로 알았어요.'라고 말하고 싶을 때 '-(으)니까'를 말해요.

- 형태:

동사	
받침 ○ -으니까 먹으니까, 찾으니까, 읽으니까 받침 × -니까 보니까, 가니까, 전화하니까, 사니까	탈락 / 불규칙 • 눕다 → 누우니까 (규칙: 입다 → 입으니까) • 듣다 → 들으니까 (규칙: 닫다 → 닫으니까) • 만들다 → 만드니까

☆ ① 주어는 대부분 말하는 사람 자신이 되는 경우가 많고, 문장 종결어미는 알게 된 사실을 말하기 때문에 주로 과거형이나 주관적 의견을 나타내는 '-는/(으)ㄴ 것 같다'가 온다.

② 경험, 시도를 나타내는 '-아/어 보다'와 함께 자주 사용되며 3A 5과에서 학습한다. '-아/어 보다'와 함께 사용되는 경우가 많으니 가능한 상황이라면 간단히 언급해도 좋다. [더하기 활동] 문법 2번 문항의 4)번에 '냉장고를 열어 보니까', [익힘책] '문법 2'의 2번 문항에 '읽어 보니까'를 노출하였다.

- 추가 예문
회사에 전화하니까 통화 중이었어요.
교실에 가니까 학생이 한 명도 없었어요.
한국어를 공부하니까 별로 어렵지 않은 것 같아요.
창문을 여니까 생각보다 너무 추웠어요.

더하기 활동 | **31쪽, 2번**

□ 선행절을 보고 각자 후행절을 자유롭게 생각해 보게 한 후 발표를 하게 해서 반 학생들의 문장을 서로 비교해 볼 수 있다. 3)과 6)은 그림을 활용해서 상황을 설명할 수 있다.

발음	문장 끊어 읽기	66쪽

□ 제시된 문장 외에도 아래 문장으로 더 연습할 수 있다.
예 보니까 V 성격이 재미있는 사람인 것 같아요.
오랜만에 그 친구를 만나니까 V 말이 더 많아진 것 같아요.

활동	새로 온 학생/성격 테스트	66~67쪽

□ '활동 1' 2번 문항의 3)번에 가능한 대화 구성 예시는 다음과 같다. 상황을 생각하기 어렵다면 [더하기 활동 교재] '듣고 말하기' 2번에 제시된 예시를 참고하도록 한다.

가: 우리 회사에 새로운 사람이 왔어요.
나: 네. 알아요. 우리 팀 사람한테서 듣고 이미 만났어요.
가: 그 사람은 어떤 사람이에요?
나: 이야기를 들으니까 일도 열심히 하고 성격이 밝은 사람인 것 같아요.

□ '활동 2'의 2번은 [더하기 활동 교재] '읽고 쓰기'와 연결된다. 친구를 소개하면서 성격 어휘를 사용하도록 안내한다. 특히 예시 글은 친구를 자세히 묘사할 수 있도록 내용과 구조에 대한 안내가 있으니 참고한다.

어렸을 때는 머리가 길었는데 지금은 짧은 머리가 편해요

어휘와 표현	외모	71쪽

☐ 외모라는 주제가 교재나 수업에서 다루기에 상황에 따라 어렵고 민감할 수 있다. 따라서 본 단원을 진행할 때 외모에 대한 평가적인 내용이 들어가지 않도록 각별히 주의가 필요하며, 다른 사람의 외모보다 자기 자신의 외모를 언급하도록 한다. 다른 사람을 언급할 경우 반 학생들이 서로 모르는 친구나 가족 등을 대상으로 교재에 제시된 표현을 사용해 가볍게 언급할 수 있도록 한다.

더하기 활동 | 34쪽, 1번

☐ 외모에 관한 이야기를 할 때 가족들이 서로 얼마나 닮았고 비슷한지, 어떤 것이 다른지 등을 이야기하는 것이 상대적으로 편하게 말을 끌어낼 수 있다. 가족 관계를 언급하기 조심스러운 상황이라면 친구나 가까운 사람으로 바꿔 진행한다.

더하기 활동 | 34쪽, 2번

☐ 외모뿐만 아니라 성격, 특징을 구체적으로 말할 수 있도록 교재의 예를 설명해 준다. 앞에 나온 학생이 '네/아니요'만 답할 수 있도록 주의시킨 후 '키가 커요?', '머리가 짧아요?', '조용한 사람이에요?', '손이 커요?', '케이팝(K-POP)을 좋아하는 사람이에요?' 등의 질문을 하도록 한다.

문법 1	-는데/(으)ㄴ데	72쪽

☐ 문법 1 '-는데/(으)ㄴ데'는 문법 2 '밖에'에 비해 교수 부담이 상대적으로 낮은 편이므로 교수·학습 시간 분배에 참고한다. 문법 1은 2A 8과에서 같은 형태의 문법 항목을 이미 학습해서 형태적으로 어려움이 덜하며, 의미도 '대조'를 다루고 있어 쉬운 편이다.

☐ **도입**

> 72쪽
> 재민 씨의 형과 동생이에요. 형은 어때요? (키가 커요.)
> 네. 동생은요? (키가 작아요.)
> → 네. 재민 씨 형은 키가 큰데 동생은 키가 작아요.
> 우리 가족하고 비슷해요. (교사의 상황에 맞춰서 수정) 저는 남동생이 있어요. 저는 키가 작은데 남동생은 키가 커요. 그래서 사람들이 '오빠'라고 생각해요. 저하고 동생은 이렇게 달라요.

☐ **설명**

- 의미: 앞 절의 내용과 다른 상황이나 결과가 뒤 절에 이어짐을 나타낸다. 대조되는 두 가지 사실을 말할 때 사용한다.

> • (교사의 상황에 맞춰서 수정) 저는 남동생하고 또 다른 것이 있어요. 저는 영어를 잘 못하는데 남동생은 영어를 잘해요. 그리고 저는 운동을 좋아하는데 남동생은 운동을 별로 안 좋아해요. 저는 매운 음식을 못 먹는데 남동생은 매운 음식을 진짜 잘 먹어요.
> • 이렇게 서로 다른 상황을 이야기할 때 '-는데/(으)ㄴ데'를 쓸 수 있어요.

- 형태: 2A 8과를 참고한다.

☆ '-지만'과 비교해서 대립의 의미가 약하다. '-는데/(으)ㄴ데'의 배경 상황이 대립의 의미와 함께 사용되는 경우도 있다.
예 이번 면접은 준비를 열심히 했는데 결과가 좋지 않아요.

- 추가 예문
  나는 밥을 많이 먹는데 별로 살이 찌지 않아요.
  오늘은 일이 많은데 내일은 여유가 있을 것 같아요.
  저는 읽기 시험은 90점 받았는데 말하기 시험은 50점을 받았어요.

더하기 활동 | 35쪽, 2번

☐ 비슷한 그림 중 서로 다른 부분을 찾아 비교해서 이야기하는 활동으로 인터넷에 이와 비슷한 자료들이 많이 있으니 활용해도 좋다. 인터넷의 그림을 활용할 때는 학생들이 설명할 수 있도록 어려운 어휘가 많이 포함되지 않는 것을 사용해야 한다.

문법 2	밖에	73쪽

□ 도입

73쪽
여러분, 비타민을 먹어요? 저는 매일 비타민을 먹어요. 그래서 다 먹으면 비타민을 사러 약국에 가요. 그림을 보세요. 이 사람도 비타민을 먹어요. 그런데 비타민이 얼마나 남았어요? (한 개요. / 하나, 한 개만 있어요.)
→ 하나밖에 없어요. 빨리 약국에 가야 돼요.
(빈 책상 위에 책을 올려 놓고) 여기 책상을 보세요. 여기 뭐가 있어요? (책이요.) 펜이 있어요? (아니요.) 공책이 있어요? (아니요.) 네. 책만 있어요. 책밖에 없어요.

□ 설명

- 의미: 다른 선택을 할 가능성이 없거나 그것이 유일한 선택임을 나타낸다. 반드시 뒤에 부정을 나타내는 말과 함께 사용한다.

• 여러분, 비타민이 한 개만 있어요. 책상 위에 책만 있어요. 이렇게 다른 것이 없을 때 '밖에'를 써서 말할 수 있어요. 그런데 '밖에'를 말할 때에는 뒤에 '있어요'가 아니라 '없어요'를 말해야 해요.
한 개밖에 없어요. 책밖에 없어요. (판서: 한 개만 있어요. 한 개밖에 없어요.)
• 저는 배우 ○○○를 좋아해요. 다른 배우는 안 좋아해요. ○○○만 좋아해요. 저는 ○○○밖에 안 좋아해요. (판서: 저는 ○○○만 좋아해요. ○○○밖에 안 좋아해요.)
• 저는 지난 생일에 선물을 세 개만 받았어요. 세 개밖에 못 받았어요. (판서: 저는 선물을 세 개만 받았어요. 세 개밖에 못 받았어요.)
• 이렇게 다른 것이 없어요. 다른 선택을 하지 않아요. 아니면 제 생각보다 너무 적어요. 이럴 때 '밖에'를 써요.

- 형태: 명사와 결합하며 받침 유무에 관계없이 '밖에'를 쓴다.

☆ '밖에'는 항상 '안, 못, 없다, 모르다, -지 않다, -지 못하다'와 같이 부정을 나타내는 표현과 함께 쓴다. 하지만 '아니다, -지 말다' 등과는 사용하지 않는다.
예 안나 씨는 학생밖에 아니에요. (×) / 그 음식을 조금밖에 먹지 마세요. (×)

☆ '○○밖에 모르다'는 어떤 대상에만 관심이 있다는 표현으로 '활동 1'의 대화에도 등장한다.

☆ 냉장고에 '물밖에 없어요.'라고 하면 다른 것도 있어야 하는데 없어서 화자의 불만이 드러날 수 있지만, 냉장고에 '물만 있어요.'라고 하면 화자의 불만을 드러내지 않는다.

- 추가 예문
한국어 수업을 일주일에 한 번밖에 안 들어요.
지금 오천 원밖에 없어서 집에 가서 밥을 먹으려고 해요.
그 사람은 가수 ○○○밖에 몰라서 요즘 다른 것에 관심이 없어요.

□ [기본 교재] 2번에서는 좋아하는 음식, 가수나 배우 등을 말하거나 요즘 특별히 관심을 많이 갖는 것을 이야기해 보도록 한다.

더하기 활동 | 35쪽, 1번

□ 이 문항을 활용해서 '밖에'를 사용한 문장에서 많이 오류를 보이는 부분을 정리할 수 있다. 주의할 항목은 다음과 같다.
- 종결어미가 부정형으로 끝나야 한다.
- 종결어미에 '-지 마세요, 아니에요'를 쓸 수 없다.

활동	어렸을 때 모습 / 주노 씨의 형	74~75쪽

□ '활동 1'의 2번은 짝 활동으로 이야기하면서 메모하게 한 후 전체 내용을 발표하도록 한다. '-는데/(으)ㄴ데'를 잘 사용할 수 있도록 안내한다.

□ '활동 2'의 2번은 1번의 글을 참고해 어렸을 때의 꿈과 지금 하는 일에 대해서 쓰되 어렸을 때의 모습과 달라진 점도 포함되도록 안내한다.

더하기 활동 | 36쪽, 1번

□ 사진을 보고 묘사하는 부분이다. 듣기 활동 외에 학생들에게 어렸을 때의 사진을 가지고 오게 해 함께 이야기해도 좋고, 어렵다면 교사의 사진을 활용하는 것도 가능하다. 각자의 핸드폰에 있는 사진이나 에스엔에스(SNS)의 사진을 찾아 소개해 보도록 해도 좋다.

더하기 활동 | 36쪽, 2번

□ 사람의 외모를 설명해야 하는 상황(공항 등에서 사람 찾기, 아이 찾기, 손님 찾기 등)을 배경으로 먼저 이야기하고 그 후에 외모에 대해 설명할 수 있도록 활동을 진행한다.

저도 그런 사람을 만나고 싶은데요!

어휘와 표현	인물의 특징	79쪽

□ 인물의 특징에 관해 이야기할 때 사용할 수 있는 표현으로 2B의 7과 성격 관련 표현과 연결하여 다룰 수 있다. 본 단원의 '어휘와 표현'을 학습할 때는 뒤에 '사람'을 붙여 '성격이 편안한 사람', '마음이 따뜻한 사람' 등으로 활용해서 제시하는 것이 좋다.

□ [기본 교재] 3번은 어떤 사람이 되고 싶은지 설명하는 것인데, 먼저 나는 어떤 사람인지 이야기해 보는 것도 연결해서 말하기 좋다.

더하기 활동 | 38쪽, 1번

□ 우리 반 친구들에 대해 이야기할 때 이 단원에서 배운 표현들 외에도 다양한 성격 어휘를 총 복습할 수 있도록 한다. 제시된 안내와 같이 한 명씩 돌아가면서 진행할 수 있다.

더하기 활동 | 38쪽, 2번

□ 주제와 연결해서 본 교재에 언급되지 않은 '르 불규칙'을 정리하는 부분이다. 아래의 규칙을 제시해 확인하게 하고 '빠르다, 부르다, 다르다, 모르다'를 활용해 말하도록 한다.

규칙: 어간이 '르'로 끝나는 동사 뒤 모음으로 시작하는 어미 '-아서 / 어서', '-아요 / 어요', '-았어요 / 었어요' 등이 오면 '르'의 모음 'ㅡ'가 생략되고 'ㄹ'이 붙는다.
※ 빠르어요 → ('ㅡ' 탈락) 빠ㄹ어요 → ('ㄹ' 삽입) 빨러요 → (모음조화) 빨라요

문법 1	-기 때문에	80쪽

□ **도입**

80쪽
여기가 어디일까요? (핸드폰 가게 / 전자제품 가게 / 서비스 센터요.)
네. (손님을 가리키며) 이 남자는 핸드폰을 고치러 서비스 센터에 갔어요. 그런데 서비스 센터 직원의 얼굴을 보세요. 아마 핸드폰을 고칠 수 없는 것 같아요.
왜 고칠 수 없을까요? 이 핸드폰은 언제 산 거예요?
(7년 전에 샀어요. / 7년 전에 사서 고칠 수 없어요. / 지금 이 핸드폰이 없어요.)
네. 맞아요. 너무 오래전에 샀어요.
→ 지금은 이 핸드폰이 나오지 않기 때문에 고칠 수 없어요.

□ **설명**

- 의미: 앞 절이 뒤 절의 이유나 원인이 됨을 나타낸다.

• 오늘 친구가 저에게 "같이 영화 보러 가요."라고 물어봤어요. 그런데 저는 오늘 일이 많기 때문에 갈 수 없어요. (판서)
• 오늘 ○○ 씨가 피곤해 보여요. 왜 피곤해요? (교사의 상황으로 바꿔도 됨.)
(늦게 잤어요. / 운동을 많이 했어요. / 너무 일찍 일어났어요.)
네. ○○ 씨는 어제 늦게 잤기 때문에 피곤해요. (판서)
• 이렇게 '왜?'를 말하고 싶어요. 이유를 말하고 싶을 때 '-기 때문에'를 써요.
• 요즘 저는 일 때문에 좀 힘들어요. 제가 왜 힘들어요? (일 때문에요.)
네. '일 때문에', '시험 때문에', '친구 때문에'처럼 명사 뒤에 '때문에'를 쓸 수도 있어요.

- 형태: 동사, 형용사와 결합하며 받침 유무에 관계없이 '-기 때문에'를 쓴다. 과거는 '-았기/었기 때문에'로 쓰지만 미래·추측의 '-겠-'과는 결합하지 않는다.

☆ ① 뒤 절에 청유문이나 명령문이 올 수 없다.
예 배가 고프기 때문에 밥을 드세요. / 먹읍시다. / 먹을래요? / 먹을까요? (×)
② '명사+때문에'는 '명사'만으로 이유나 원인을 추측할 수 있을 때 사용한다.
예 비 때문에(비가 오기 때문에) 길이 막혀요.
돈 때문에(돈이 없기 때문에) 힘들어요.
친구 때문에(친구와 사이가 좋지 않아서/싸워서) 기분이 안 좋아요.
③ '명사+(이)기 때문에'의 사용에 주의한다.

예 저는 학생이기 때문에 열심히 공부합니다. (○)
저는 학생 때문에 열심히 공부합니다. (×)

④ '-아서/어서'에 비해 이유를 더 분명하게 표현하는 효과가 있으며, 문어성이 더 강하다.

□ [기본 교재] 2번은 선행절을 보고 후행절을 다양하게 만들어 보는 연습으로, 완성 후 문장을 발표시킨다.

더하기 활동 | 39쪽, 1번

□ ☆에서 언급한 ①~④까지의 내용과 시제 관련 내용을 확인하고 정리할 수 있도록 하는 활동이다. 왜 틀렸는지 학생들에게 생각하게 하고 명시적으로 정리한 후 고친 예문을 함께 읽어 보며 정리한다.

문법 2	-는데요/(으)ㄴ데요	81쪽

□ 도입

81쪽
(오른쪽 그림을 가리키며) 두 사람이 지금 뭘 보고 있어요?
(공연/노래/뮤직비디오요.)
두 사람이 좋아하는 케이팝(K-POP) 가수가 새 앨범을 발표한 것 같아요.
새 노래를 듣고 뮤직비디오를 보고 있어요.
(왼쪽 그림을 가리키며) 노래가 어떤 것 같아요? (좋아요./행복해요./기분이 좋아요.)
→ 네. 그래서 두 사람이 '와, 이번 노래도 정말 좋은데요!'라고 말했어요.

□ **설명**

- 의미: 어떤 사실을 말하면서 그것에 대해 감탄하며 서술함을 나타낸다.

• 여러분, 정말 좋은 음악을 들으면 어때요? (좋아요. 행복해요. 기분이 좋아요.)
네. 저도 그래요. 저는 ○○○을/를 좋아하는데 그 가수의 노래를 들으면 "와, 정말 좋은데요!" 이런 말이 나와요.
• 정말 예쁜 꽃다발을 선물 받았어요. 너무 예뻐서 "와, 아주 예쁜데요!" 말했어요.
• 백화점에 갔는데 사람이 너무 많아서 들어갈 수가 없어요. "(놀란 목소리로) 아니, 사람이 너무 많은데요."
• 이렇게 어떤 것에 대해서 '와!' 하고 감탄할 때 '-는데요/(으)ㄴ데요'를 써요.

참고) 끝부분의 억양을 올려서 말할 수 있도록 한다.

- 형태: 2A권 8과를 참고한다.

☆ 과거는 '-았는데요/었는데요'로 쓴다.

예 전에는 이 물건이 아주 비쌌는데요!

- 추가 예문
오늘은 집이 더 깨끗한데요.
한국어를 정말 잘하시는데요!
날씨가 너무 더운데요.
쇼핑을 정말 많이 했는데요!

□ [기본 교재] 3번 문항에서는 친구들에게 잘한 것이나 특별한 것, 칭찬 등을 해 줄 때 감탄의 억양을 잘 표현하도록 지도한다.

더하기 활동 | 39쪽, 2번

□ 자주 사용하는 일상 대화이니 이런 말을 주변 사람들(반 친구들)에게 해 주는 것을 숙제로 주어도 좋다.

발음	ㅎ약화	82쪽

□ 제시된 문장 외에도 아래 문장으로 더 연습할 수 있다.

예 그 영화에서는 공항에서 일하는 사람들의 생활을 볼 수 있어요.
올해 프로그램을 알고 싶어서 문화센터에 전화했어요.

활동	만나고 싶은 사람/ 마음이 맞는 친구	82~83쪽

□ '활동 1' 2번 문항의 5)번에 가능한 예시는 다음과 같다.

- 저는 사는 곳이 중요하기 때문에 제가 사는 곳에서 살 수 있는 사람을 만나고 싶어요. 여기에서 그 사람하고 같이 살았으면 좋겠어요.
- 저는 옷 스타일이 중요하기 때문에 옷을 잘 입는 사람을 만나고 싶어요. 제가 옷을 잘 못 입어서 좋아하는 사람하고 같이 쇼핑하고 싶어요.

□ '활동 2'의 2번은 이유를 쓸 때 '-기 때문에'를 사용할 수 있도록 안내한다.

더하기 활동 | 40쪽, 2번

□ 그동안 배운 성격 관련 표현, 인물의 특징 관련 표현 등을 다양하게 사용하도록 안내한다.

더하기 활동 | **41쪽, 1번**

☐ 10과와 연결되어 있다. 버킷 리스트(Bucket list)에서 쓸 수 있는 내용을 확인해 보고, 10과에서 내용을 구상할 때 도움을 얻도록 한다.

더하기 활동 | **41쪽, 2번**

☐ 2번은 이유를 쓸 때 사용할 수 있는 다양한 표현을 정리하는 부분이다. 차이점에 초점을 두기보다 이유를 나타낼 때 어떤 표현들이 사용되었는지 예문을 중심으로 살펴보면서 그동안 배운 이유의 문법을 정리한다.

2B 10

산악자전거는 조금 위험한 편이에요

어휘와 표현	특별한 경험	87쪽

☐ 일반적인 취미보다 기념일 또는 특별한 날 하고 싶은 일에 관한 표현을 다룬다.

☐ 교사의 특별한 경험을 이야기하면서 진행할 수 있다. 사진을 준비하는 것도 좋다.

예 향수 만들기, 직접 만드는 커플링, 암벽 등반, 집 짓기 봉사, 공연 참여, 케이크 만들기 등

☐ [기본 교재] 3번 문항은 먼저 2번에 제시된 어휘와 표현에 '-는 게 어때요?'와 '-아/어 보세요'를 연결하는 연습 후 진행할 수 있다.

더하기 활동 | **42쪽, 2번**

☐ 특별한 경험을 권유하는 댓글 쓰기 활동이다. 교사가 학습자들과 공유하는 에스엔에스(SNS)가 있다면 실제 게시글을 만들어서 진행하면 학습자의 흥미를 높일 수 있다.

문법 1	-는/(으)ㄴ 편이다	88쪽

☐ 이 문법은 의미적으로는 쉬운 편이지만 결합하는 품사와 받침 유무에 따라 형태 변화가 다르게 나타나고 동사와 결합할 경우 부사어와 함께 사용해야 자연스럽다. 따라서 학습자들에게 연습할 수 있는 시간을 충분히 배분하는 것이 좋다.

□ 도입

88쪽
왼쪽 그림을 보세요. (교재 왼쪽에 키가 큰 사람을 가리키며) 이 사람은 키가 커요.
오른쪽을 보세요. (교재 오른쪽에 키가 작은 사람을 가리키며) 이 사람은 키가? (작아요.)
(양쪽에 있는 사람을 가리키며) 네. '키가 크다', '키가 작다'예요.
(중간에 있는 사람을 가리키며) 그럼 이 사람을 보세요.
이 사람은 '키가 크다'와 '키가 작다' 중에서 어디에 가까워요? (작다요.)
네. 그럼 이렇게 말해요.
→ 키가 작은 편이에요.

□ 설명

- 의미: 동사나 형용사와 결합하여 어떤 사실에 대체로 가깝거나 속한다고 말할 때 사용한다.

• (양 끝에 화살표가 있는 선을 긋고 중앙점을 찍은 후 왼쪽에 0, 오른쪽에 100을 쓴다.)
여러분, 이게 뭘까요? 한국어 시험 점수예요.
0점이에요. (0 아래에 '못하다'를 쓰면서) 한국어를 잘 못해요.
100점이에요. (100 아래에 '잘하다'를 쓰면서) 한국어를 잘해요.
○○ 씨가 한국어 시험을 봤어요. (선 위에 점을 찍으면서) 85점이에요. 100점은 아니에요. 하지만 '한국어를 잘하다'에 가까워요. 맞아요? (네.)
그럼 이렇게 말해요. ○○ 씨는 한국어를 잘하는 편이에요.
• (다시 선을 긋고) 이것은 시간이에요.
(왼쪽을 가리키며) '시간이 없다'예요. ('시간이 없다 / 바쁘다'를 쓰면서) 시간이 없어요. 바빠요.
(오른쪽을 가리키며 '시간이 많다'를 쓰고) 이쪽은 '시간이 많다'예요.
○○ 씨는 오전에 수업을 들어요. 오후에 아르바이트해요. 집에 가면 숙제해요.
○○ 씨는 시간이 있어요? (네. / 아니요.) 네. 시간이 있지만 조금 있어요.
'시간이 많다 / 시간이 없다' 중에서 어디에 가까워요? (시간이 없다요.)
네. '시간이 없다 / 바쁘다'에 가까워요.
'시간이 없는 편이에요.', '바쁜 편이에요.'라고 말해요.
'어느 쪽에 가까워요?'를 말할 때 동사·형용사 뒤에 '-는 / (으)ㄴ 편이에요'를 사용해요.

- 형태:

동사	형용사
받침 ○ -는 편이에요 먹는 편이에요, 읽는 편이에요 받침 × -는 편이에요 가는 편이에요, 하는 편이에요	받침 ○ -은 편이에요 좋은 편이에요, 짧은 편이에요 받침 × -ㄴ 편이에요 바쁜 편이에요, 큰 편이에요 -있다 / -없다 -는 편이에요 재미있는 편이에요, 맛있는 편이에요, 재미없는 편이에요, 맛없는 편이에요

- 문장 구성 정보: 동사와 결합할 때는 '잘, 자주, 많이' 등과 같은 부사와 함께 사용해야 정확한 의미를 전달할 수 있다.
- 추가 예문
재민 씨는 책을 많이 읽는 편이에요.
주노 씨는 머리가 짧은 편이에요.
마리 씨는 친절한 편이에요.
제가 만든 음식은 맛있는 편이에요.

더하기 활동 | 43쪽, 1번

□ 해당 국가의 날씨, 음식, 여행, 물건 가격에 관해 이야기한다. 제시된 어휘 외에 다른 어휘가 필요할 수 있으니 교사가 미리 해당 국가의 상황에 따라 예상 답변을 준비하는 것이 좋다.

문법 2 | -게 | 89쪽

□ 도입

89쪽
두 사람이 데이트하고 있어요. 같이 피자를 먹어요.
다 먹었어요? (아니요.) 네. 다 못 먹었어요. 피자가 남았어요.
집에 가져가고 싶어요. 그럼 어떻게 해요? (포장해요.)
네. 그래서 '포장해 주세요.'라고 말해요.
(칠판에 쓰면서) 집에 가져가요. 포장해 주세요. 그럼 이렇게 말해요.
→ (칠판에 '요'를 지우고 '게'를 쓰면서) 집에 가져가게 포장해 주세요.

□ **설명**

- 의미: 동사나 형용사와 결합하여 뒤의 행위에 대한 목적이나 결과를 나타낸다. 앞의 상황을 이루기 위해 뒤에 조건이나 방법이 나올 때 사용한다.

> • (작은 목소리로 말하면서) 여러분, 제 목소리 잘 들려요? (아니요. / 안 들려요.)
> (큰 소리로 말하면서) 지금은 잘 들려요? (네.)
> 제가 큰 소리로 말했어요. 왜요? (잘 들을 수 있어요. / 잘 들려요.)
> (칠판에 '잘 들리다'를 쓰면서) 네. 여러분에게 잘 들려요. 큰 소리로 말했어요.
> (칠판에 '-다'를 지우고 '-게'를 쓰면서) 여러분에게 잘 들리게 큰 소리로 말했어요.
> • 요즘 날씨가 춥지요? 그래서 감기에 걸린 사람들이 많아요.
> 저는 감기에 걸리고 싶지 않아요. 어떻게 하면 좋아요? (옷을 많이 입어요. / 따뜻한 옷을 입어요.)
> 네. 따뜻한 옷을 입어요. 왜 따뜻한 옷을 입어요? (감기에 걸리지 않아요.)
> (칠판에 '감기에 걸리지 않다'를 쓰면서) 네. 감기에 걸리지 않아요. 따뜻한 옷을 입어요.
> (칠판에 '-다'를 지우고 '-게'를 쓰면서) 감기에 걸리지 않게 따뜻한 옷을 입어요.
> 여러분, 어떤 일을 해요. 왜 그 일을 해요? 이렇게 하면 어떤 결과가 있어요? 그것을 말하고 싶을 때 '-게'를 사용해요. 여러분이 이 문법을 잘 이해했어요? 제가 확인하고 싶어요. 문장을 만들어 보세요. 제가 확인하게 문장을 만들어 보세요.

- 형태: 동사나 형용사와 결합하며 받침 유무와 관계없이 '-게'를 쓴다.
- 제약: 과거 '-았/었-'이나 미래·추측의 '-겠-'과 결합하지 않는다.

☆ '-게'가 목적을 나타낼 때는 주로 동사와 결합한다.

예 약을 먹게 물을 주세요. / 아기가 자게 조용히 해 주세요. / 수업에 늦지 않게 택시를 탔어요. / 주말에 친구를 만날 수 있게 숙제를 미리 했어요.

더하기 활동 | 43쪽, 2번

□ [기본 교재]에 제시되지 않은 '형용사 + -게' 표현이 소개되어 있다. '맛있게 드세요.'처럼 '형용사 + -게' 표현이 부사처럼 사용되는 다양한 예시가 제시되어 있다. [기본 교재]에서 표현으로 노출되었던 예시들이 제시되어 있으므로 목적의 '-게' 학습 후 함께 확인할 것을 권장한다.

활동	더 늦기 전에 해 보고 싶은 일 / 올해 꼭 하고 싶은 일	90 ~ 91쪽

□ '활동 2'의 2번은 교사가 먼저 새해 계획이나 결심 중 지키지 못한 것을 이야기한 후 학습자들에게 질문하며 진행한다. 아래 계획을 활용할 수 있다.

예 운동하기, 한 달에 책 한 권 이상 읽기, 월급날 친구에게 선물하기, 그림 배우기 등

> 저는 올해 1월 1일에 하고 싶은 일을 많이 썼어요. 그런데 지키지 못했어요. 여러분도 새해 계획이 있었어요? 무슨 계획이었어요? 그중에서 무엇을 못 했어요? 왜 못 했어요? 그 일을 할 때 뭐가 필요해요?

더하기 활동 | 44쪽, 1번

□ 2)의 '다시 듣고 쓰기'는 연속된 대화 부분이 아니므로 교사가 해당 부분을 주의해서 들을 수 있도록 미리 언급하는 것이 좋다.

더하기 활동 | 44쪽, 2번

□ 중요한 일이나 계획이 바뀐 경험을 말하는 것이 어렵다면 일상생활에서 경험할 수 있는 작은 계획을 이야기할 수 있도록 한다.

예 저는 주말에 놀이공원에 가려고 했어요. 그런데 텔레비전에서 멋있는 산 경치를 봤어요. 정말 아름다웠어요. 그래서 저는 주말에 친구와 산에 가고 싶어요. 산에 가서 아름다운 경치도 보고 사진도 많이 찍고 싶어요.

더하기 활동 | 45쪽, 2번

□ 9과에서 작성한 버킷 리스트(Bucket list) 선정 이유에 덧붙여 그 일의 특징이나 필요한 내용을 정리한다. 아래 구조를 사용할 수 있다.

> 제 버킷 리스트 중 하나는 (버킷 리스트 목록) 입니다. 제가 이 일을 하고 싶은 이유는 (-기 때문입니다). 이 일은 (-는/(으)ㄴ 편입니다). 이 일을 하려면 (이/가 필요합니다). 더 늦지 않게 올해는 꼭 해 보고 싶습니다.

처음에는 모르는 게 많아서 답답했어

어휘와 표현	변화	95쪽

더하기 활동 | 46쪽, 1번

□ 한국어를 배우기 전의 상황을 설명할 때 '-았는데/었는데'를 사용해서 연결하도록 지도한다.

더하기 활동 | 46쪽, 2번

□ 교사는 학습자들이 특별히 기억할 만한 일이 무엇이 있는지 충분히 이야기한 후 인생 그래프를 그리도록 지도한다.
㊉ 세종학당에 온 날, 입학, 졸업, 면허증 딴 날, 첫 운전, 첫 여행, 결혼, 이사, 출산 등

문법 1	-아/어	96쪽

□ 이 문법은 '-아요/어요' 사용에 충분히 익숙한 학습자들에게는 학습 부담이 낮다. 그러나 반말을 처음 배우므로 다양한 표현으로 충분히 연습할 수 있도록 하는 것이 좋다.

□ **도입**

96쪽
• (교재 그림 속 오른쪽 남자를 가리키며) 남자가 있어요. 학생이에요.
왼쪽 그림을 보세요. (그림 속 왼쪽 남자를 가리키며) 이 사람은 누구예요? (선생님이요.)
네. 두 사람의 대화를 읽어 보세요. (어제 뭐 했어? 집에서 쉬었어요.)
이제 오른쪽을 보세요. (그림 속 여자를 가리키며) 누구예요? (친구요.)
네. 그럼 두 사람의 대화를 읽어 보세요. (어제 뭐 했어? 집에서 쉬었어.)
왼쪽과 오른쪽 대화에 차이가 있어요. 무슨 차이가 있어요? (왼쪽에는 '요'가 있어요. 오른쪽에는 '요'가 없어요.)
네. 맞아요.
→ (왼쪽 그림을 가리키며) 선생님께 말할 때는 '-아요/어요' 높임말로 말해요. 집에서 쉬었어요.
(오른쪽 그림을 가리키며) 친구에게 말할 때는 '요'가 없어요. 반말로 말해요. 집에서 쉬었어.

□ **설명**

- 의미: 동사나 형용사와 결합하여 '-아요/어요'의 반말로 사용한다. 아랫사람이나 나이가 비슷한 사람, 비공식적인 자리, 가까운 사이 등에서 사용할 수 있다.

여러분, 그럼 언제 '-아요 / 어요' 말하는지 공부해 볼까요? 언제 '-아 / 어' 말해요? 보세요.
• 학교에서 선생님께 '-아요 / 어요' 말해요. 학교 선배에게 말할 때도 '-아요 / 어요' 말해요. 나보다 나이가 많아요. 회사에서 나보다 높은 사람이에요. 그럼 '-아요 / 어요' 말해요.
• 집에서 부모님께 말해요. '-아/어' 말해요? (아니요. '-아요 / 어요' 말해요.)
언니나 오빠한테는 어떻게 말해요? ('-아요 / 어요' 말해요.)
네. 언니나 오빠는 나보다 나이가 많아요. 높임말을 사용해요. 그런데 언니와 오빠는 나하고 사이가 좋아요. 아주 가까워요. 그럼 '-아 / 어' 말할 수도 있어요.
동생에게 말할 때는 어떻게 말해요? ('-아 / 어' 말해요.)
맞아요. 동생은 나보다 나이가 어려요. 아랫사람이에요. 그럼 '-아 / 어' 말해요.
• 친구에게 말할 때는 어떻게 말해요? ('-아 / 어' 말해요.)
네. 친구는 나하고 나이가 비슷해요. 나이가 같아요. 많이 만나서 친해요. 그래서 반말해요. '-아 / 어' 말해요.
• 처음 만난 사람에게 말할 때, 회사에서 말할 때, 회의할 때, 발표할 때 '-아요 / 어요' 말해요. 회사가 아니에요. 회의가 아니에요. 발표가 아니에요. 많이 만난 사람이에요. 나하고 친해요. 사이가 좋아요. 그럼 '-아 / 어' 말해요. 반말해요.
• 이렇게 높임말 / 반말을 누구에게 말하는지, 어디에서 말하는지, 언제 말하는지와 모두 관계가 있어요. 여러분 이제부터 높임말과 반말을 잘 사용해 보세요.

- 형태: '-아요/어요' 형태 변화와 같다. 1A 4과를 참고한다. '이에요'는 '이야', '예요'는 '야'로 바뀐다.
- 추가 예문
  세종학당에서 한국어를 공부해.
  기숙사에서 요리하면 안 돼.
  나는 아침잠이 많은 편이야.
  이 식당 음식이 참 맛있어.
  가을 하늘이 높고 파래.
  오늘 기분이 참 좋아.

더하기 활동 | 47쪽, 1번

□ '-(으)세요'의 반말을 쓸 때 학습자들이 '-요'만 생략하는 경우가 종종 있으므로 주의하여 지도한다. '-지 마세요'의 반말이 '-지 마'임도 같이 확인한다.

문법 2	에는, 에서는	97쪽

□ 이 문법은 '에/에서'와 '은/는' 사용에 충분히 익숙한 학습자들에게 형태적으로는 학습의 부담이 낮지만 조사 결합 형태를 문장 안에서 자연스럽게 사용하는 데는 어려움을 느낄 수 있으므로 다양한 문장으로 충분히 연습하도록 한다.

□ **도입**

97쪽
- 남자가 뭐해요? (밖을 봐요.)
  창문 밖에 사람이 많아요? (네. 많아요.)
  남자는 안에 있어요. 안에 사람이 많아요? (아니요.)
  네. 밖에 사람이 많아요. 안에 사람이 안 많아요.
  (칠판에 '안≠밖'을 쓰면서) 창문 밖과 안이 달라요. 그래서 이렇게 말해요.
  → 밖에는 사람이 많네요.
- 여기는 어디예요? (박물관이에요.)
  네. 박물관에서 사진을 찍어도 돼요? (네. / 아니요.)
  네. 찍어도 되는 장소도 있어요. 찍으면 안 되는 장소도 있어요.
  여기에서 사진을 찍으면 안 돼요. 이렇게 강조하고 싶을 때 말해요.
  → ('에서는' 부분을 강하게 말하면서) 여기에서는 사진을 찍으면 안 돼요.

□ **설명**

- 의미: 조사 '에/에서'와 조사 '은/는'의 결합형으로 두 가지 조사의 의미가 모두 나타난다. 특정 시간이나 장소를 주제로 이야기할 때, 특정 시간과 장소를 강조할 때 그리고 그 외 시간과 장소와 다른 부분을 이야기할 때 사용한다.

- '에는'은 '에+는'이에요. '에서는'은 '에서+는'이에요. 여러분, '에/에서' 알아요? 언제 사용해요? (시간, 장소요.)
  네. 시간이나 장소를 이야기할 때 '에' 또는 '에서'를 말해요.
  그럼, '은/는'은 언제 말해요? '저는 안나예요.'라고 말해요. 지금 누구에 대해 말해요? (저요. / 안나요.) 네. 저에 대해 말해요. 그래서 '저는' 말해요. 그리고 강조할 때도 '은/는' 사용해요. 그래서 '오늘 날씨는 정말 좋아요.'라고 말해요. 오늘 날씨를 강조해서 말하는 거예요. 그리고 서로 다른 것을 말할 때도 '은/는'을 사용해서 말해요. ('여러분≠저'를 쓰면서) '여러분은 학생이에요. 저는 선생님이에요.'라고 말해요.
- '에는', '에서는'은 '에/에서'의 의미도 있어요. '은/는'의 의미도 있어요. 그래서 '에는/에서는'은 어떤 장소나 시간에 대해 말할 때 사용해요.
  ('설날에는 한복을 입어요.'를 쓰고) 여러분 읽어 보세요. (설날에는 한복을 입어요.)
  네. 지금 무엇에 대해 말해요? (설날이요.) 언제 한복을 입어요? (설날에요.)
  네. 지금 설날에 대해 설명해요. 그래서 '설날에는 한복을 입어요.'라고 말해요.
- '에는/에서는'은 어떤 장소나 시간을 강조할 때도 사용해요. ('아플 때에는 집에서 쉬어야 해요.'를 쓰고) 여러분, 읽어 보세요. (아플 때에는 집에서 쉬어야 해요.) 네. 쉬어야 해요. 언제 쉬어야 해요? (아플 때요.)
  네. 아플 때 쉬어야 해요. 아플 때라는 상황을 강조하고 싶어요. 그러면 이렇게 말해요. '아플 때에는 쉬어야 해요.'라고 말해요.
- '에는/에서는'은 어떤 시간과 장소에 대해 말해요. 그런데 앞의 내용과 뒤의 내용이 다를 때도 사용해요. 보세요. ('안나 씨가 학교에서 조용해요. 학교 밖에서 이야기를 많이 해요.'를 쓰고) 여러분 안나 씨가 학교에서 조용해요. 학교 밖에서 어때요? (이야기를 많이 해요.) 네. 학교에서 학교 밖에서 안나 씨가 같아요? (아니요. / 달라요.) 그럼 어떻게 말해요? (안나 씨가 학교에서는 조용해요. 학교 밖에서는 이야기를 많이 해요.) 네. 맞아요. 여러분 '에는', '에서는' 알겠지요?

- 형태: 명사와 결합하며 받침 유무와 관계없이 '에는', '에서는'을 쓴다.
- 확장: '에+도', '에서+도', '에+만', '에서+만', '에게+도', '에게+만' 등의 조사 결합도 가능하다. 다른 조사들도 다양하게 결합할 수 있지만 '은/는', '이/가', '을/를'의 경우 '도'와 결합하지 않음에 주의한다.

더하기 활동 | 47쪽, 2번

□ 학습자들이 만들 수 있는 문장은 다음과 같다.

㉮ 여름 방학에 한국 여행을 했어. 서울에 갔어. 부산에도 갔어./생일날 우리 반 친구들에게 축하를 많이 받았어. 중국에 있는 친구에게도 축하를 많이 받았어./학교에서는 명동이 가깝지만 우리 집에서는 명동이 멀어./나는 한국에 와서 친구에게만 편지를 썼어. 부모님께는 매일 전화를 했어.

발음	학교에서도 한국어를 배워? 의 억양	98쪽

□ [기본 교재]에 제시된 문장 외에도 아래 문장으로 더 연습할 수 있다.

예 다음 주말에도 도서관에 가?/두 사람, 언제 처음 만났어?/생일날에는 뭐 먹어?/그 휴대폰은 언제 샀어?

활동	나의 변화/친구들에게 마음을 표현하기	98~99쪽

□ '활동 1'의 2번은 다음과 같은 내용으로 연습할 수 있다.

예 기숙사 생활, 모르는 사람이 많다./어색하다, 친해지다
한국 음식, 입에 안 맞다, 잘 먹다

□ '활동 2'의 2번에서는 학습한 '에는/에서는' 조사 결합형을 사용하도록 권장한다.

예 재민아, 내가 아플 때 걱정해 줘서 고마워. 처음에는 몰랐는데 넌 정말 마음이 따뜻한 것 같아./안나야, 지난 주말에 네가 한 음식 정말 맛있었어! 다음에는 내가 한국 요리 해 줄게.

2B 12

난 너처럼 카페를 하고 싶어

어휘와 표현	희망 사항	103쪽

더하기 활동 | 50쪽, 2번

□ 아래와 같은 예를 활용할 수 있다.

㉮ 잘하고 싶은 것: 사진을 잘 찍어서 나만의 전시회를 열고 싶어요.
①부터 ④까지 하면 사진을 잘 찍어 전시회를 열 수 있을 거예요.
방법: ① 책이나 인터넷으로 사진 잘 찍는 방법을 공부해요.
② 사진을 좋아하는 사람들 모임에 참여해요.
③ 매일 일상 사진을 찍으면서 사진 찍기를 연습해요.
④ 직접 찍은 사진을 보면서 주변 사람들의 의견을 들어요.

문법 1	처럼	104쪽

□ 이 문법은 다양한 예문을 통해서 학습자들이 이해하기 비교적 쉬운 표현이나 닮고 싶거나 하고 싶은 것을 비유적으로 표현하는 것으로 학습자가 긍정적으로 이 표현을 잘 사용할 수 있도록 지도한다.

□ **도입**

104쪽
왼쪽 그림을 보세요. 뭐가 있어요? (새요.)
새는 매일 뭐해요? (노래해요. / 날아요. / 가요.)

새는 어디에 가요? (여기저기요. / 가고 싶은 곳이요. / 다요.)
우와~ 매일 노래해요. 여기저기 가요.
(칠판에 '저는 새가 부러워요.' 쓰면서) 저는 새가 부러워요.
여러분은 어때요? (우리도 부러워요.)
여러분도 이렇게 살고 싶어요? (네.)
그럼 이렇게 말해요.
→ 새처럼 자유롭게 살고 싶어요.
오른쪽 그림을 보세요. 뭐가 있어요? (천사요.)
천사는 어때요? (예뻐요. / 착해요. / 순수해요.)
여러분 친구가 있지요? (네.) 여러분 친구도 예뻐요. 착해요. 맞아요? (네.)
(칠판에 '착해요: 친구 = 천사' 쓰면서) 여러분 친구가 천사 같아요. 착해요.
그럼 어떻게 말해요?
→ 친구가 천사처럼 착해요.

☐ **설명**

- 의미: 명사와 결합하여 앞의 명사와 같거나 비슷함을 나타낸다.

여러분, 농구 선수는 보통 키가 커요. 맞아요? (네.) (칠판에 '키가 커요: 농구 선수 = ○○ 씨'를 쓰면서) 우리 반 ○○ 씨도 키가 커요.
그럼 '○○ 씨는 농구 선수처럼 키가 커요.'라고 말해요.

- 겨울에 눈이 와요. 겨울은 날씨가 어때요? (추워요.)
  네. 겨울은 추워요. (칠판에 '추워요: 겨울 = 봄'을 쓰면서) 지금은 봄이에요. 그런데 추워요.
  그럼 '봄이 겨울처럼 추워요.'라고 말해요.
- 밤에 하늘을 본 적이 있어요? (네.)
  (밤하늘 사진을 보여 주면서) 밤하늘에 별이 있지요? 별이 어때요? (반짝반짝해요.)
  네. 별이 반짝반짝해요. 제 눈도 반짝반짝해요. 맞아요? 그럼 어떻게 말해요? (선생님 눈이 별처럼 반짝반짝해요.)
  네. 잘했어요.
- (칠판에 쓰면서) '처럼'은 대부분 '같이'로 바꿀 수 있어요. 제가 '처럼' 말할 거예요. 여러분은 '같이'로 바꿔서 말해 보세요.
  ○○ 씨는 농구 선수처럼 키가 커요. (○○ 씨는 농구 선수같이 키가 커요.)
  ○○ 씨 얼굴이 사과처럼 빨개요. (○○ 씨 얼굴이 사과같이 빨개요.)
  선생님처럼 좋은 사람이 되고 싶어요. (선생님같이 좋은 사람이 되고 싶어요.)
  네. 잘했어요.

- 형태: 명사와 결합하며 받침 유무와 관계없이 '처럼'을 쓴다.

☆ '처럼'은 '같이'와 의미 차이 없이 바꿔 쓸 수 있으나, 자연스럽지 않은 경우도 있다.

① 비유적으로 굳은 표현은 바꿔 쓰는 것이 자연스럽지 않다.
  예 불같이 화를 내다. (○) / 불처럼 화를 내다. (?)
  새처럼 날고 싶다. (○) / 새같이 날고 싶다. (?)

② 앞에 오는 명사의 전형적인 특징이 아닐 경우 '처럼'과 '같이'를 바꿔 쓰는 것이 자연스럽지 않다.
  예 엄마 말씀처럼 오후에 비가 왔어요. (○) / 엄마 말씀같이 오후에 비가 왔어요. (?)
  친구의 예상처럼 이번 시험은 어려웠어요. (○) / 친구의 예상같이 이번 시험은 어려웠어요. (?)

- 추가 예문
  우리 반 재민 씨가 영화배우처럼 멋있어요.
  주노 씨는 기린처럼 목이 길어요.
  수지 씨의 마음은 꽃처럼 예뻐요.

문법 2	-게 되다	105쪽

☐ 이 문법은 학습자들이 변화와 관련한 다양한 이야기를 할 때 사용할 수 있으므로 시간 배분을 충분히 하도록 한다.

☐ **도입**

105쪽
왼쪽 그림을 보세요. 1년 전에 이 사람은 한국어를 알았어요? (아니요. 몰랐어요.)
오른쪽 그림을 보세요. 1년 후 이 사람은 어때요? (한국어를 잘해요.)
네. 1년 후 이 사람은 한국어를 알아요. 한국어가 재미있어요. 한국어를 잘해요.
1년 전과 1년 후, 같아요? (아니요.)
네. 1년 전하고 1년 후가 달라요. 변했어요. 한국어를 잘해요. 그러면 이렇게 말해요.
→ 한국어를 잘하게 되었어요.

☐ **설명**

- 의미: 동사와 결합하여 어떤 영향으로 상황이나 상태가 변한 것을 나타낸다.

- 1년 전에 ○○ 씨는 저를 알았어요? (아니요.) 네. 몰랐어요. (칠판에 '몰랐어요 → 알아요' 쓰면서) 그런데 ○○ 씨 세종학당에 와요. 지금은 저를 알아요. 그럼 "세종학당에 와서 선생님을 알게 되었어요."라고 말해요.
- ○○ 씨는 지금 여기에 있어요. 그런데 유학 시험에 합격했어요. 그래서 내년에 한국에 가요. (칠판에 '여기 있어요 → 한국에 가요' 쓰면서) 그러면 이렇게 말해요. "○○ 씨는 유학 시험에 합격해서 한국에 가게 되었어요."

• 저는 주말 계획이 없었어요. (칠판에 '계획이 없었어요 → 주말에 영화를 볼 거예요' 쓰면서) 그런데 오늘 친구가 영화표를 선물했어요. 그래서 주말에 영화를 볼 거예요. 그럼, 지금은 주말 계획이 있어요. 변했어요. 맞아요? (네.)
그럼 "친구가 영화표를 선물해서 주말에 영화를 보게 되었어요."라고 말해요.

- 형태: 동사와 결합하며 어간 끝음절의 받침 유무와 관계없이 '-게 되다'를 쓴다.
- 문장 구성 정보:

① 부정문은 '-게 되지 않다, 안 -게 되다'로 쓴다.
예 바쁘니까 친구를 만나게 되지 않아요./바쁘니까 친구를 안 만나게 돼요.

② 과거는 '되다'에 '-았/었-'을 붙여 쓴다. '-게' 앞에 '-았/었-'을 붙이지 않는다.
예 이번 겨울에 한국에 가게 됐어요./말하기 대회에서 상을 받게 됐어요.

☆ 변화 후 결과를 나타내므로 주로 '-게 되었다'의 형태를 사용한다.
예 한국 드라마를 좋아해서 한국어를 배우게 되었어요./저는 아빠의 권유로 10살 때부터 피아노를 치게 되었어요.

- 추가 예문
손님이 없어서 가게 문을 닫게 됐어요.
아빠 회사를 옮겨서 이사를 하게 되었어요.
제가 일이 있어서 친구를 내일 만나게 됐어요.

활동	앞으로의 계획/하고 싶은 일	106~107쪽

□ '활동 1'의 2번은 다음과 같이 연습해 볼 수 있다.
예 엄마, 요리를 잘하고 싶다./한국 요리를 배우다./요리 방송을 보고 연습하다.
가: 너 앞으로 더 잘하고 싶은 거 있어?
나: 응. 난 엄마처럼 요리를 잘하고 싶어. 너는?
가: 나도 요리를 잘하고 싶어. 특히 한국 요리를 배워 보고 싶어.
나: 요리 방송을 보고 연습하면 한국 요리를 할 수 있게 될 거야.

□ '활동 2'의 1번에서 1위와 3위의 공통점은 배운다는 것이다. 교육기관에서 학습하는 방법과 여행이라는 경험을 통해 배우는 방법의 차이가 있지만, 배움에 대한 희망이나 욕구가 강하게 나타난다는 점을 설명할 수 있다.

더하기 활동 | 52쪽, 2번

□ 다음과 같이 연습해 볼 수 있다.
1)의 예 그림(그림 감상하기, 미술관 가기, 그림 그리기)
2)의 예 그림에 관심이 많아요?/그림 보는 것을 좋아해요?/어떤 화가를 좋아해요?/미술관에 자주 가요?/그림 그리는 것을 좋아해요?

메모

메모

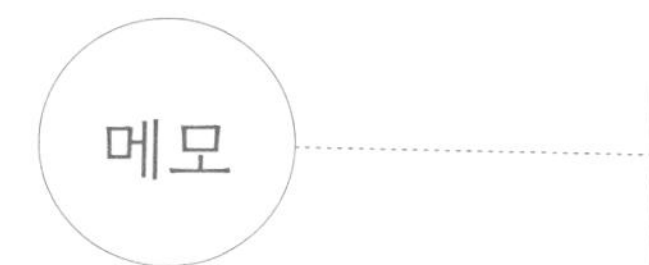
메모

세종한국어 | 교사용 지도서 2

문화체육관광부
국립국어원

(07511) 서울 강서구 금낭화로 154
전화: +82 (0)2-2669-9775
전송: +82 (0)2-2669-9747
홈페이지 http://www.korean.go.kr

기획·담당	박미영	국립국어원 학예연구사
	조 은	국립국어원 학예연구사
책임 집필	이정희	경희대학교 국제교육원 교수
공동 집필	이수미	성균관대학교 학부대학 대우교수
	한윤정	경희대학교 K-컬처·스토리콘텐츠연구소 연구교수
	신범숙	서울대학교 언어교육원 대우전임강사
	민유미	서울대학교 언어교육원 대우전임강사
	윤세윤	경희대학교 국제교육원 객원교수
집필 보조	김연희	경희대학교 국어국문학과 박사수료
	홍세화	경희대학교 국어국문학과 박사과정
	정성호	경희대학교 국어국문학과 박사수료
	서유리	경희대학교 국어국문학과 박사과정

초판 1쇄 인쇄 2022년 8월 15일
초판 1쇄 발행 2022년 9월 1일
ISBN 978-89-97134-47-2 (14710)
ISBN 978-89-97134-21-2 (세트)

출판 • 유통 공앤박 주식회사 (www.kongnpark.com)
(05116) 서울시 광진구 광나루로56길 85,
프라임센터 1518호
전화: +82 (0)2-565-1531
전송: +82 (0)2-3445-1080
전자우편: info@kongnpark.com

총괄 | 공경용
책임 편집 | 이유진, 이진덕, 여인영
편집 | 김령희, 성수정, 최은정, 함소연
아트디렉팅 | 오진경
디자인 | 이종우, 서은아, 이승희
제작 | 공일석, 최진호
IT 지원 | 손대철, 김세훈
마케팅 | Sung A. Jung, Paulina Zolta, 윤성호